JN153938

科学実験対決漫画

実験対決

㊷ 重力と無重力の対決

내일은 실험왕 ㊷

Original Korean edition was published by Mirae N Co., Ltd.(I-seum)

Japanese translation rights was arranged with Mirae N Co., Ltd.(I-seum)

through VELDUP CO.,LTD.

科学実験対決漫画

実験対決

㊷ 重力と無重力の対決

文：ストーリーa.　絵：洪鐘賢

目次

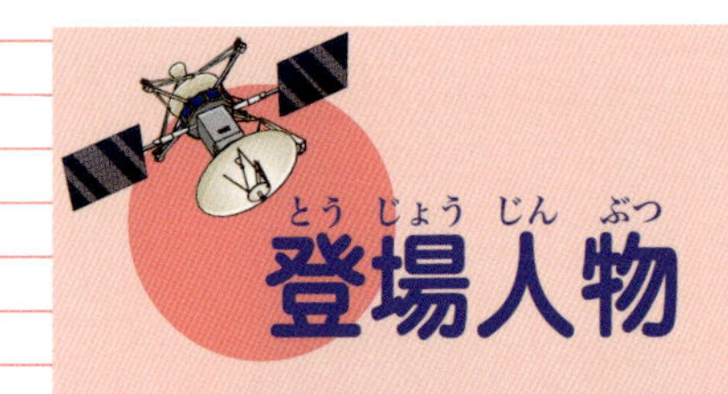

登場人物

ウジュ

所属：韓国代表実験クラブBチーム。

観察内容・ラニだけに優しいウォンソの姿を目撃した後、ウォンソがラニのことが好きかも知れないとの不安にとらわれる。

・ウォンソが強い重力を持つ太陽だとしたら、自分は小さくてデコボコな月だと思い込んでしまう。

観察結果：ラニに対するウォンソの気持ちを知りたくて強引な態度を見せていたが、自分がラニの気を引くための努力を始める。

ウォンソ

所属：韓国代表実験クラブBチーム。

観察内容・チームメイトを励まし、常に落ち着いてチームを引っ張るクールなリーダー。

・実験中にウジュを助けたり、ラニに必要なものを事前に用意しておいたりするなど、心優しい男子に少しずつ変わっている様子。

観察結果：他人に対してはまだまだ冷たい態度を示すので、彼の変化はもう少し見守る必要がある。

ラニ

所属：韓国代表実験クラブBチーム。

観察内容・優勝に対する夢を決してあきらめない、誰よりも決断力と行動力のある少女。

・普段とは異なるウジュの様子に気づき、そっとウジュをサポートする。

観察結果：太陽の周りを回り月のそばにいる地球のように、いつもウォンソとウジュの間で2人を支える。

ジマン

所属(しょぞく)：韓国代表実験(かんこくだいひょうじっけん)クラブB(ビー)チーム。

観察内容(かんさつないよう)・自分(じぶん)のミスのせいでチームがピンチに陥(おちい)るのではないかととても心配(しんぱい)になる。

・友達(ともだち)の気持(きも)ちや態度(たいど)の変化(へんか)などをメモし、その内容(ないよう)を綿密(めんみつ)に分析(ぶんせき)する。

観察結果(かんさつけっか)：いつも友達(ともだち)の周(まわ)りで情報収集(じょうほうしゅうしゅう)する韓国B(かんこくビー)チームの人工衛星(じんこうえいせい)（？）のような存在(そんざい)。

ジェウォン

所属(しょぞく)：韓国代表実験(かんこくだいひょうじっけん)クラブA(エー)チーム。

観察内容(かんさつないよう)・普段(ふだん)は堅苦(かたくる)しい言葉遣(ことばづか)いだが、ウジュにだけは親(した)しみのある言葉遣(ことばづか)いをするギャップが魅力(みりょく)の男子(だんし)。

・ウジュの微妙(びみょう)な感情(かんじょう)の変化(へんか)に気付(きづ)いた後(あと)、ウジュに付(つ)きまとう。

観察結果(かんさつけっか)：ウジュに対(たい)して格別(かくべつ)な感情(かんじょう)を持(も)っている様子(ようす)。

その他(た)の登場人物(とうじょうじんぶつ)

❶ みんなに謎(なぞ)の招待状(しょうたいじょう)を送(おく)って一騒動(ひとそうどう)を起(お)こしたカンリム。

❷ 宇宙食(うちゅうしょく)でウジュの食欲(しょくよく)を刺激(しげき)したトーマス（略称(りゃくしょう)：トム）。

❸ 自分(じぶん)でも気付(きづ)かずにウジュの実験(じっけん)を助(たす)けたリズ。

第1話 対決で勝つ確率

00:06
00:05
00:04

ダメだ、時間がない！
00:03
00:02
00:01
本当？
コクッ

00:00
ピイイイ
実験終了の時間です。皆さん実験器具から離れてください！

もう終わり!?
仕方ない。
分光器の結果は？
ウウ……。あと10秒で終わるのに。
ピタッ
どこまで出たの？

両チームとも前に来てください。
ついに対決結果が出る！
ドキ
ドキ

現在の点数は65点対67点で、韓国Bチームが中国Aチームに2点負けてる。
じゃ、汚染物質を何個見つけたら韓国Bチームが勝つの？
汚染物質をより多く見つけたチームが10点を獲得！ その上で、汚染物質の数によって相手チームの点数が決まるんだ。
点数計算方法
・汚染物質を見つけた数が多いチーム＝1
・汚染物質を見つけた数が少ないチーム＝2
・1の点数＝10点
・2の点数＝2が見つけた汚染物質の数／1が見つけた汚染物質の数×10

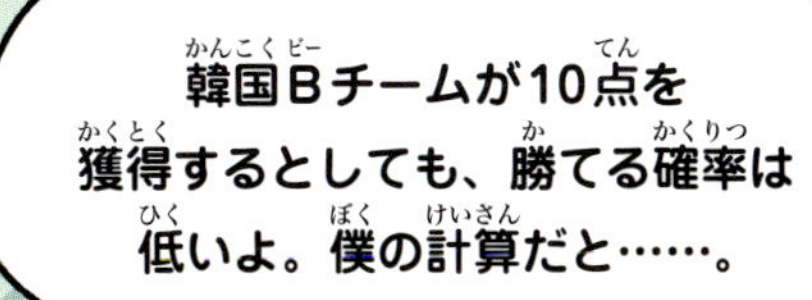

	汚染物質の数		獲得点数		合計	
	韓国Bチーム	中国Aチーム	韓国Bチーム	中国Aチーム	韓国Bチーム	中国Aチーム
A	2	1	+10	+5	75/勝ち	72/負け
B	5	4	+10	+8	75/同点	75/同点
C	8	7	+10	+8.75	75/負け	75.75/勝ち
D	10	9	+10	+9	75/負け	76/勝ち
⋮	⋮	⋮	⋮	⋮	⋮	⋮

分かったから
もう計算止めて
くれない？

韓国Bチーム、
楽観できないね。

＊フェノール　防腐剤や殺虫剤、合成樹脂など、化学製品を作るのに用いられる化合物。

＊1 亜硝酸性窒素　家畜の糞尿や生活排水などによるアンモニア性窒素が酸化する過程で作られる無機態窒素。

汚染した水にスルファニルアミド溶液とナフチルエチレンジアミン溶液を順番に混ぜた後、分光光度計で＊2吸光度を測定し汚染物質を分析しました。

分光光度計

1　540　0.23

＊2 吸光度　光が液体を透過する時に吸収される光の強さを表す値。

＊富栄養化　海や湖などに流れ込んだ汚染物質のせいでプランクトンや藻類などが大量に増殖し、水質が汚染すること。

3番目の汚染物質は油！
オイルタンカーの事故によって流れ出した油は、
海の生態系を脅かします。ろ過紙を利用して
油を分離しました。
パッ
こちら、こちら
見えますか？

次は硝酸性窒素です。汚染した水に
塩化アンモニウム溶液を垂らし還元管を通過させ、
スルファニルアミド溶液と塩化ナフチルエチレン
ジアミン溶液を垂らし吸光度を測定しました。
①塩化アンモニウム溶液を垂らした
後に還元管を通過
②スルファニルアミド溶液を垂らす
③塩化ナフチルエチレンジアミン
溶液を垂らす
④10分以上
放置
⑤分光光度計で吸光度を測定
はい！
油と硝酸性窒素、
両方とも
正解です。

韓国Bチームの実験4つだったよね？次が最後の発表だね！
中国Aチームは実験をいくつ成功させたんだろう？　とても見てられない。
ウロ
ウロ
次は韓国Bチームです。

でも足が動かないんだ……。

ジマン、何してるんだ？　次はお前の番だぞ。
知ってるよ！

誰かが僕の足を引っ張ってるような気分なんだ……。
ウウウッ
全然動けない。
ガチッ

ジマン！

韓国Bチーム？
ウッー

1歩さえ踏み出せれば。お願い、動いて！
ウウッ……
ヒョイッ
動いた！

え？
お前らしくないぞ！

ジマンを引っ張ってるのは地球の重力だよ。いつも重力に負けずに歩いてんだから！
ウジュ……。

韓国Bチーム、発表を……。
はっ、はい！

4番目の汚染物質は鉛です。
汚染した水にヨウ化カリウム溶液を垂らすとヨウ化鉛ができて沈殿が生じますが……。
ヨウ化カリウム
キレイな海水
汚染した海水

あれ？
ガーン
沈殿がない？
実験が失敗した！
それでジマンは緊張してたのね。

鉛の検出実験をしたものの結果がハッキリ出なかったんですね？

はい……。

汚染物質リストに鉛は
含まれていますが、実験で
証明できなかったので
不正解とします。

次は
中国Aチーム？
はい！
私たちの最後の汚染物質は
アンモニア性窒素です。汚染した水に
フェノール溶液とニトロプルシド溶液を
入れて、一定温度で約１時間放置した
後、吸光度を測定しました。
①フェノール溶液、
ニトロプルシド溶液
を垂らす
②一定温度で
放置
③分光光度計で
吸光度測定
でも……。

最後の対決の実験結果が終了時刻の後に出たんですね？
コクッ
はい、そうです。

アンモニア性窒素も汚染物質リストに含まれていますが、制限時間内に実験で証明できなかったので不正解とします。

韓国Bチーム3つ、ウチのチーム3つ！
ならば僕らが……。
コクッ

残念だけど、大丈夫。
スーッ

ジマン、
どうしたの？
ウウッ……。

僕が実験に成功していたらこんなことには……。僕のせいでウチのチームが……。
ウッ
脱落することに！
だ……。

違うよ。そんなことないって！
ビクッ

そりゃそうだけど……。
これまで僕らが学んだこと……。

実験は成功がすべてじゃないわ！　それが私たちが対決で学んだ一番大事なことでしょ！　失敗を通してもっと多くのことを学べるの。

韓国Bチームと中国Aチームの再対決の結果を発表します。
ドン
待って、それじゃ……。
結局こうなるの？
韓国Bチーム3つ、中国Aチーム3つ。
フゥ……
同点で両チームとも10点を獲得するから、予想通り……。
75対77点で、

韓国Bチームの負け！

再対決のチャンスをもらったのに
見事に負けやがって！
誰か残念がるとでも？
ハッキリ言うけど、
僕は絶対、絶対、
同情しないから！

こんなもんか、ウォンソ。

だからウォンソ！　そんな
マヌケな表情でつっ立ってるなよ！
偉そうにしてた顔は
どこ行った？　みんな
ジッとしてないで何か
言えよ。このまま
終わるのかよ！
ポトン
ブー

ウウッ
どうして
目から汗が？
こんなに早くあいつに
なんか会いたく
ないぞ。
スッ スッ
すみません！

何？
え？
ムニャ？

ド
パタ
こっちです！
審査委員、
言いたいことが
あるんです！
パタ
パタ
ドーン

ウジュ？
ウジュ！

異議があれば結果発表後に正式に提出してください。
ウジュ。

もう、ウジュ。何なの？
何かアピールしてたみたいだけど。

このまま終われないってことだな。根性あるじゃないか。

敗北のショックでヤケになってるんじゃないだろうな？
ウッ
まさか……。

アタフタ
違う、違う！　ウジュ！ジッとするなって言ったのは冗談だから！
今世界中に生中継されてるんだぞ！恥ずかしい歴史を残す前に止めろ！
そうじゃなくて。

ドドーン
実験で見つけた汚染物質が！
ウチのチームはもう１つあるんです。
もう１つあるって？
ウウン？
私らが？
ウジュ！　ココで失敗すると本当に恥さらしだぞ！
何言ってるの！　実験は１人１個ずつでしょ。
ブー
ウォンソ、あいつを止めて！
見えないメンバーがいたのか？

実験 紙コップの中の重力と無重力

空中で紙コップを持っていて手を離すと紙コップは下に落ちます。高く投げられたボールも下に落ち、木の枝になったリンゴも下に落ちます。その理由は、あらゆる物体が重力によって地球の中心方向に引っ張られるからです。ところが、たまに重力がないように見える無重力状態になる瞬間があります。水と紙コップを利用した簡単な実験を通じて、重力と無重力について調べてみましょう。

準備する物　水、紙コップ、錐

場所　浴室や庭など、水がこぼれてもいい場所

❶ 錐を使って紙コップの底に穴を３、４個開けます。

❷ 手で穴を塞いで紙コップに水をいっぱい入れます。

❸ 紙コップをそのまま持って踏み台やイスなど、高い場所に上がります。

❹ 穴を塞いでいた手を離し、紙コップの中の水がどうなるのか観察します。

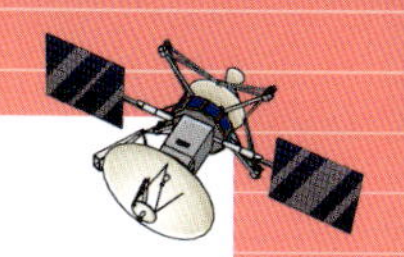

❺ その状態で紙コップを垂直に落とし、水がどうなるか観察します。

❻ ❹では穴から水が漏れ、❺の紙コップが落ちる間は穴から水が漏れません。

どうしてそうなるの？

地球にあるあらゆる物体は重力によって下に引っ張られます。紙コップに入っている物体は、紙コップの底に達して底を押す力が生じます。紙コップの中の水が穴を通じて漏れ出るのも、重力によって下に引っ張られた水が紙コップの底に達したからです。しかし、紙コップが落ちる間は紙コップに入った水は穴を通して漏れ出ることはありません。その理由は、紙コップと水が同時に自由落下し、一時的に紙コップに対して水が無重力状態になったからです。自由落下とは、一定の高さで停止していた物体が他の力の影響を受けずにただ重力だけで下に落ちる運動のことを言います。自由落下をする間は紙コップとその中に入った水は同一の速度で落ち、このため水が紙コップの底を押す力が生じないため穴から漏れて出ることがないのです。まるで水が紙コップの中でフワッと浮いているかのような無重力状態になるのです。紙コップが完全に底に落ちるまでは穴から水が漏れて出ることはありません。

©iStock

自由落下するリンゴ　自由落下する物体は下に落ちるほど速力がどんどん速くなる。

第2話 ついに出そろった ベスト16進出チーム

僕らの発表は
まだ終わってないん
です！
バーン
終わって
ないって？

他の実験を
する時間は
なかったぞ。
どういうことなの？
実験は確かに
4つだった！

実験で見つかった汚染物質がまだあるということですか？
実験映像を確認しましょう。
はい！

はい、まだあるんです。僕が最後に見つけた汚染物質は……。

ウジュ！

パッ
マイクロプラスチックです！

マイクロプラスチック？

つまりマイクロプラスチックは……。
コクッ

プラスチックはただプカプカ浮いてるんじゃないの？ それがどうやって海を汚染させるんだ？
よく聞いて。生活用品から……。
僕らが生活の中で使うマイクロプラスチックや大きなプラスチックは海を汚染させます。
マイクロプラスチックが含まれた生活用品
化粧品
粉々になった大きなプラスチック
マイクロプラスチックは周りの汚染物質に反応して新たな汚染物質になることもあり、食物連鎖を通じて人間を含む生態系全体を傷つけたりします。水道水からもマイクロプラスチックが見つかったこともあります。

見てください！　油を
吸収したろ過紙に小さな
ツブツブがたくさん
付いてるでしょ。

あれがまさに
マイクロプラスチック
です！
ドドーン

本当だ！
見える、見える、
僕にも見える！
スッスッ

ピッ
マイクロプラスチック

マイクロプラスチック、実験で見つかった汚染物質に認めます。
ドンッ

本当にあの子が見つけたのね！
僕たちより1つ多く見つけたのか。
じゃ、僕らの点数は……。
ドキッ

そんな！
やった！
正解として認めてもらえた！

対決の点数は４つの汚染物質を見つけた韓国Ｂチームに10点！　３つの汚染物質を見つけた中国Ａチームに7.5点が与えられます。

したがって合計75点対74.5点で、
75点と74.5点！
0.5点差で……。
ドキッ

私たちが……。
ドキッ

勝っ た……！
韓国Bチームの勝利です！

韓国Bチームが勝った！
どんでん返しだ。優勝候補の中国Aチームが脱落なんて！
フゥ……
これって現実？
今行けば会えるよね？韓国Bチームのみんな！私を心配させるなんて。
クルッ
一緒に行こう。
以上で、韓国Bチームと中国Aチームの対決を終了します。
プゥ〜
良かった。あいつらに明日会わなくていいなんて……。

タッ
タッ

スーッ

ギラッ
ワア、眩しい！

え？
心からお祝いするよ。
ベスト16進出！

ベスト16……、
進出！
ドキッ
ドキッ

やっと僕のことを
認めたんだね？
照れるなあ～。
スーッ

サッ

え？

君たちと対決できて光栄だったよ。
こちらこそ。
カ〜ッ

じゃ、来年必ずまた会おう！
タタタッ
何だよ、カンリム〜！　まだ僕を２番手扱いするなんて！お前はまだまだだな。来年はもっとがんばって出直して来な！分かったか！
フラッ
うっ……。
フゥ

夢みたい。私たちがベスト16進出だなんて。
ニコッ

ラニ！
バタッ
うう……。
ラニ！どうしたの？

ハァ……

まったく別の世界が開いた！
そうだ。1時間前はみんなもうお終いだと思ってたのに。
フゥゥ

エッヘン
エヘン
エヘン
今日僕たちが勝利できたのは運命さ。僕の目にマイクロプラスチックがピターッて止まって見えたからね。
そうだね。今日ばかりは本当に認めるよ。ウジュが僕を助けてくれた。
ハハハ
そうよ。ウジュが本当に大活躍したわ。

そう。次の対決でも僕の目が実力を発揮するにはご飯をシッカリ食べなきゃ。早くご飯食べに行こう！
ウン！

アレ？白衣に何か付いてる。
たぶんさっきの実験で薬品が付いたみたい。2回も洗ったのにシミが落ちないの。

そういうことは早く僕に言ってくれなきゃ。僕がキレイに消してあげる。
フム、お安い御用さ！
フフッ

その必要はない。新しい白衣を頼んでおいたから。

新しい白衣？
僕が事務所でもらってくるからみんなは先に食堂に行ってて。

ウォンソ、私も行く。
食堂で会おう。

え？うん……。
大丈夫？

今見た？　あいつ、ラニの白衣のシミに、僕より先に気付いてたみたいだよね？
うん、そうだね。尋常じゃないね。

さっきの実験でもウォンソのヤツ、僕にスゴく優しかったんだ。それでもしかしてと思ったんだけど……。
ウジュならできる。
本当？
え？

冷凍ロボットだったウォンソが
人間になろうとしてるみたい。
僕の熱いハートのおかげで！
さすが僕の
ハート！
メラメラ
ハハッ
ジリジリ
僕って何でも
できるんだ。
気分最高！
シュルル
ウジュが
そんなに
喜ぶことじゃ
なさそうだけど。
フン

ドドッ
ウジュ！
ジマン！
え？

勝利、
おめでとう！
地獄から
生き返った気分は
どう？
ハハ！　ありがとう。
みんながこんなに
祝ってくれるなんて。
ウハハハ
ドドッ
ご飯食べに
行くのかい？

僕の目って
スゴくいいんだ！
この澄んだ目を
見てよ～。
今日の勝利を
もたらした主人公がいれば
いいだろ。僕がどうやって
マイクロプラスチックを
見つけたか話そうか？

ところでどうしてあなたたち
2人だけなの？　ウォンソは？
カチン
何か不満？

さあ！
サク
サク

今日勝って浮かれてるのは
理解するけど、

どいてくれない？
パチ
パチ

君らのせいで対決がつまらなくなった。唯一手応えがありそうなのが中国Aチームだったのにさ。
ちょっと通るね。
ピタッ
カチン
カチン

対決がつまらなくなった？
私たちがつまらないってこと？

あなたたちも見たでしょ。中国Aチームの実験は研究者レベルで、韓国Bチームの実験は初歩レベルだってこと。でも韓国Bチームが勝利するなんて。
ハハ
私がカンリムだったら悔しがったハズ。
トボ
トボ
トボ

バカなこと言わないで！勝ち負けを認めないなら対決する意味がないわ。
カーッ
中国Aチームも結果を謙虚に受け入れてたけど。
そうだよ。お祝いの言葉もかけてくれたぞ！

それが国際実験オリンピックの
皮肉なところさ。
パクッ
スーッ

それ……。
クン
クンクン
新製品？

オオオ
そうだ、
ウジュ！
何か一言
言ってやれ。
実験の本当の
意味を教えてやりな！

ザッ
オイ、君さあ。

こいつ何だ？
ジュルッ
そのお菓子だよ。一度も見たことがないものだけど、スゴくおいしそうだね。食堂にあったもの？まさか君の手作り？
そっ、
そんなこと。
ウジュ
……。
どうした？
パク パク

え？　本当？
オオ？
宇宙食？

これは僕が持ってきた
宇宙食だよ。

ガ〜ン
それが宇宙で作った
食べ物だと？
ジョークで
言ってるの？
面白くない。

宇宙船の重さを少しでも減らすためよ。宇宙船が
地球の重力から脱するためにはスゴい燃料が必要でしょ。
料理の材料や道具を載せたらどんなに重いか。
ガーッ
宇宙では
料理しないの？
普通、宇宙では料理しない
こと、ウジュも知ってるだろ？
ハハハ
そう
なの？
赤っ恥
恥さらし

何だ、じゃ、
あいつがウソ言ったの？
宇宙食って。

ウソじゃ
ないさ！
宇宙では材料や道具が
あっても料理は難しい。
無重力状態だからすべてが
フワフワ浮いてるし。だから
宇宙に行く時、地球から
食べ物を作って持って
行くんだけど、それが
まさに宇宙食さ！
プカ
プカ
地球で
作る？

そうだよ。これはアメリカ航空宇宙局（NASA）で
開発した宇宙食さ。宇宙に持っていくために
できる限り軽くて保管しやすいように作られたんだ。
こんなに小さいのに適度なエネルギーがあって、
美味しくて、栄養素もたっぷり入ってる。

聞いた？　あれが
本物の宇宙食だって。
あんた以外みんな
知ってるわよ。
ウワァ
軽くて美味しくて
完璧な栄養！
ハァ……
お願いだから
最後のプライドは
捨てるなよ。
それも食べ物
なんかで。

＊「ウジュ」は韓国語で「宇宙」と同じ発音です。

何だよ！
1つだけちょうだい。イヤ、一口だけ！
それもダメなら舐めるだけでも！　どんな味か
気になるんだ。優勝候補の寛大さを見せて！
恥さらし
ギュッ
離せ、
離せってば！
プライドを
捨てたんだから
絶対食べてよね。
＊ウジュ
（宇宙）が
食べるものだから
宇宙食だろ？
ね？
ジュルル
誰かこいつ
離して！
ハッ
宇宙食
投げたら？

ユーリ・ガガーリン（Yuri Gagarin）

提供：朝日新聞社

ユーリ・ガガーリン
（1934〜1968）
人類史上初めて宇宙飛行に成功した。

ユーリ・ガガーリンは人類史上、最初に宇宙飛行に成功したロシア（旧ソ連）の軍人、宇宙飛行士です。1950〜60年代は世界的に宇宙開発が本格的に始まった時期でした。宇宙科学技術と宇宙飛行の業績が国家の競争力を左右する重要な要因になるほどでした。ロシアも宇宙開発に力を入れました。優れた飛行能力と集中力、狭い宇宙船内部に適した小柄な体型の20人余りの候補生が選抜され、有人飛行への挑戦も行いました。ガガーリンもその1人でした。候補者は飛行中に起きる重力の変化や無重力状態に適応する訓練を受けながら飛行を準備し、最終選考によってガガーリンが宇宙飛行士に決定されました。そして、1961年4月12日、ガガーリンは宇宙船「ボストーク1号」に乗って地球周回軌道に入り、地球を1周するのに成功しました。ガガーリンは宇宙から地球を見た後、「地球は青かった」という有名な感想を残しています。宇宙飛行に成功したガガーリンは、ロシアだけでなく世界的な有名人になりました。そして、その後は宇宙飛行士を訓練する仕事をしながら宇宙開発研究に力を注ぎました。しかし1968年、ジェット戦闘機の訓練中の墜落事故によってガガーリンは34歳の若さでこの世を去ってしまいました。ガガーリンの宇宙飛行は人類史上、最初という意義を持つだけなく、本格的な有人宇宙飛行時代を開いたと言えます。

©iStock

宇宙飛行士記念博物館　ロシアの首都モスクワにある博物館。ガガーリンによる人類初の宇宙飛行20周年を記念して開館した。

ここには
ガガーリンに関する
資料や宇宙船の模型
などがあるよ。

落ち着け。地球の重力を脱するのはとても大変なことじゃ。約38万kmも離れたあの月も地球の重力から脱することができてないのじゃからな。

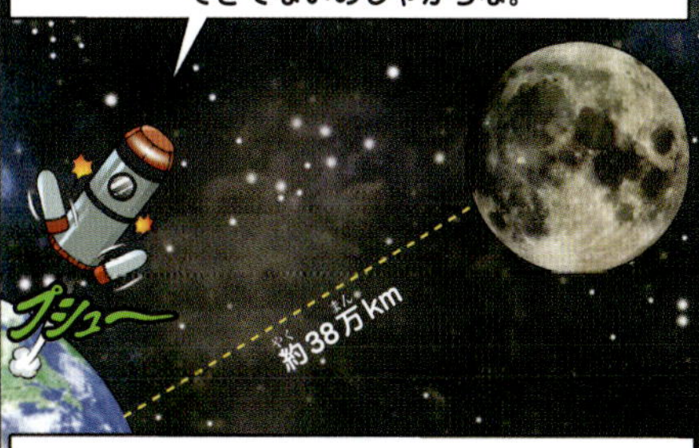

そうですね。地球の重力が＊求心力の役を担ってるから、月は地球の周りをずっと回ってるんですよね。ハンマー投げでハンマーを回転させる時と同じ原理で。

＊求心力　回転の中心向きの力。

人工衛星や国際宇宙ステーションも同じ原理で軌道から外れないんじゃ。

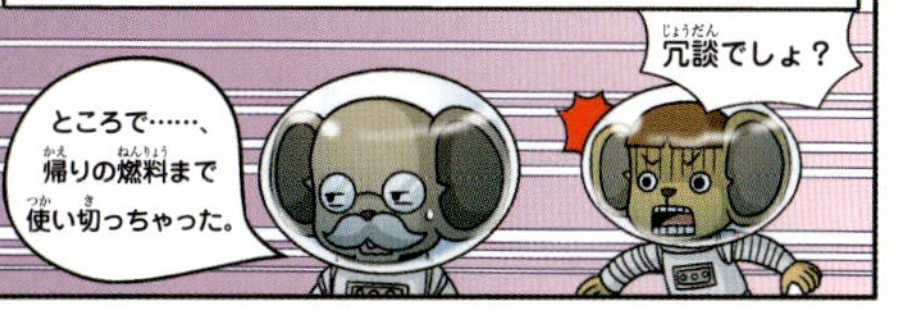

第3話

特別なリンゴ、特別な人

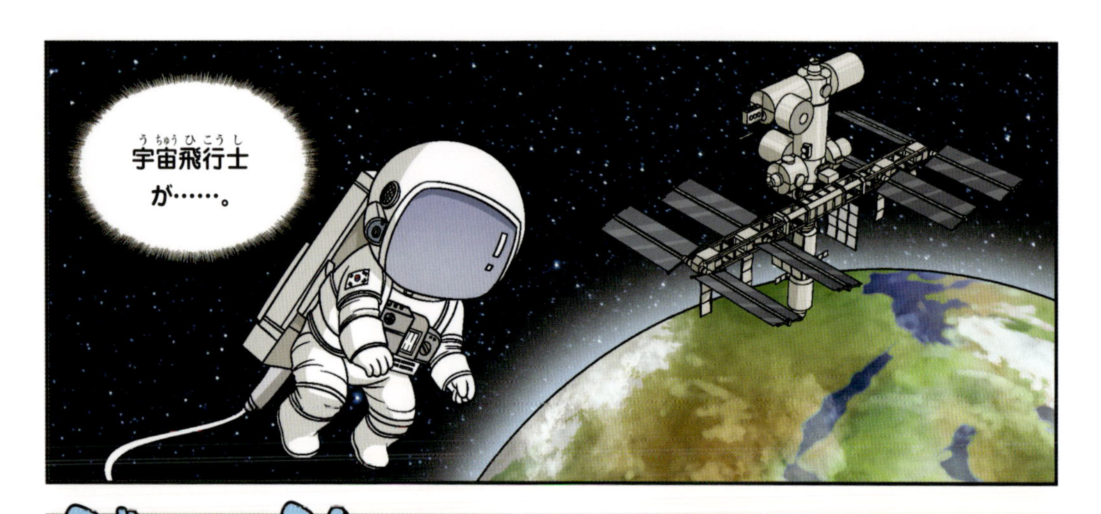
宇宙飛行士
が……。

ジャーン
宇宙で食べる
宇宙食！
ガヤ
ガヤ
ついにウジュが
手に入れた！
ザワ
ザワ
ザワ

ネエ、知ってるだろ？僕だよ僕！ 今日、韓国Bチームを勝利に導いたウジュ。
あ、そう？今忙しいんだ。
これ見て。僕ががんばって手に入れた宇宙食。これさ……。
ア～、おめでとう。
何だ。結局手に入れたのね？
セナ！
クルッ
トムのヤツ、手強そうだったけどどうやって手に入れたの？
あいつが野外で実験するって言うから、荷物を運ぶのを手伝ったんだ。
まだ運ぶものある？言って。
ハァ
ハァ
じゃ、アレもお願い。
思ったより心が広いヤツだったよ。
ゲッソリ
一体どんだけこき使われたの。

今日は本当に最高の日だよ。
ベスト16にも進めたし、
宇宙食も手に入ったし。
羨ましい？
スリ
スリ
そうね～、羨ましいわ。空気読まないし、プライドもないから生きるのが楽よね。
空気とプライド？

ウチのチームが宇宙食を食べられるならそんなの関係ないよ。この結実を見てよ！
フッ……

最初にラニにあげて、次は僕が大きく一口。
あ、ジマンも忘れちゃいけない。

そして残りのカスを……。
チラッ

あいつにはあまりあげたくないけど、
最近優しくなったんだよね。
悩ませやがって……。
手が届かない。
まさか……。

ザッ
ウッ……
ハァ
そりゃそうか。

ウォンソ！
スーッ
え？

やっぱりあいつはまだまだだ。
悩むの止めた！
ザッ
コレ。

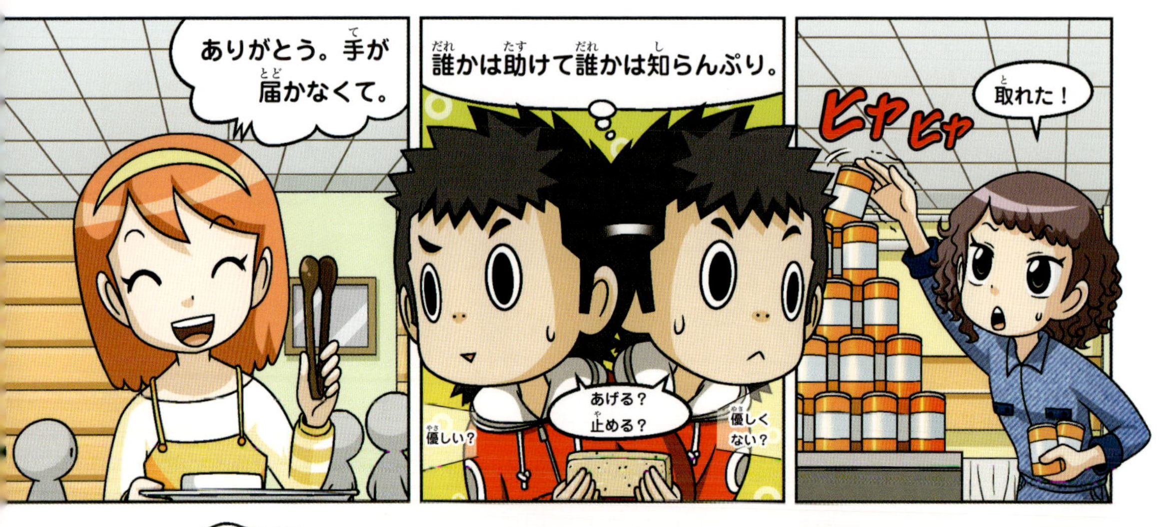
ありがとう。手が届かなくて。
誰かは助けて誰かは知らんぷり。
優しい？
あげる？止める？
優しくない？
ヒヤヒヤ
取れた！

アア～、手が届かない。
アア～
？

誰かが代わりに取ってくれると嬉しいなあ～。
チラッ

あそこのパンがどうしても食べたいのに。
ブルブル

僕は誰と話してるんだ。
無
ヒュー

もう、あいつはどうして助けてくれないんだ？差別はよくないぞ！
演技がスゴく不自然だね。
カチン
スタ
スタ
そう？ 分かった？
もう少し練習しなきゃ。

さあ、パンは僕が取ってあげるよ。
大丈夫。パンはもう取ったから。
あっ、あそこだ！

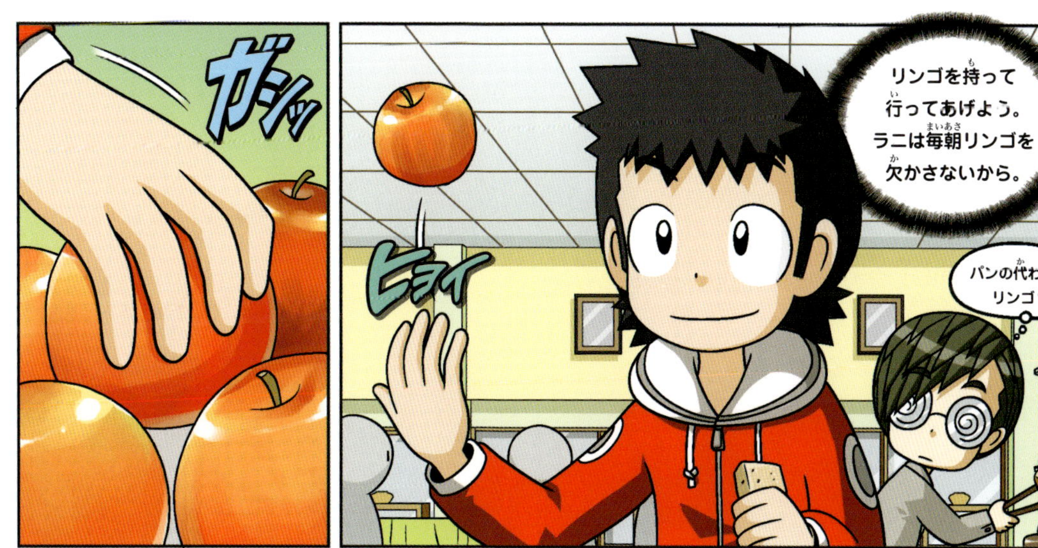
ガシッ
ヒョイ
リンゴを持って行ってあげよう。ラニは毎朝リンゴを欠かさないから。
パンの代わりにリンゴ？

フウ、
それがさあ。
本当？　ウジュが
宇宙食を？

あれ……？
ストン

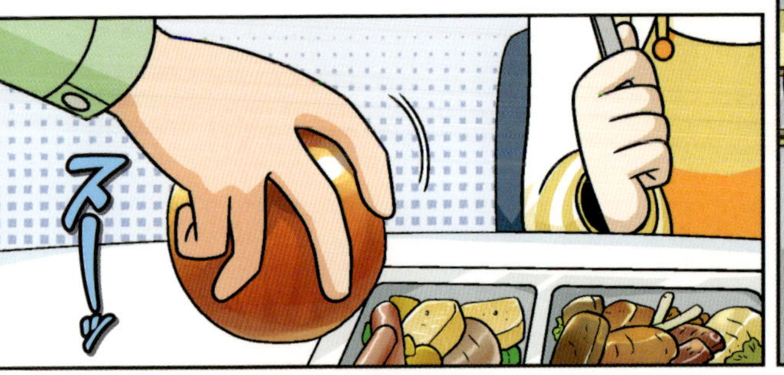
スーッ

ラニがリンゴ
好きなこと？
ウォンソも
知ってた？
?
ボ～
そうなれば
いいね。
きっとゲット
するハズ。
フゥ～
スッ

ウジュがそんなに
リンゴが好きって
知らなかった。
僕だけ……
好きなんじゃ
ないかな？
リンゴが好きな人は多いよ。
特別なリンゴならなおさらさ。
特別な……人？
イヤ、特別なリンゴ！　その１つがまさに
ニュートンのリンゴさ。ニュートンは
落ちるリンゴを見て万有引力を
閃いたんだ。万有引力は
知ってるね？　質量を持っている
物体が引っ張り合う力のことさ。
万有引力に関連したリンゴ
だなんて、スゴく良くない？
物体が、
ドキッ
引っ張り
合う？
パラ
パラ

ラニは特別だから
ウォンソも
さっきから……。
さっきの実験で
薬品が付いた
みたい。
僕がキレイに
消して
あげる。
その必要はない。
新しい白衣を頼んで
おいたから。
ポツ
違う、さっきから
じゃない！
ポツ
ポツ

これ使う？
アッ！
あの時も……！

前からずっと？
コウモリは出ていったよ。もう大丈夫。
ポトッ
ひょっとして初めから……。ウォンソもラニを？
僕と踊らない？

各地にニュートンのリンゴの木の子孫があるから僕らも見ることが……。
ポトッ
ゴロゴロ

アレ？　リンゴを落としたよ。
違う、違う！　これは明らかに僕の勘違いのハズ。あり得ないことを考えてる！　でも、もしそれが本当なら……。
クラ
クラ

対決まであまり時間がないから急ごう。
うん、分かった。
ヒョイ
そうだ！勘違いかどうかあいつに聞いてみよう。

これリンゴ。
サッ

待って、ウォンソ！
今すぐ確認したいことがあるんだ！
サッ
何？

僕の質問に嘘偽りなく答えるんだ。分かった？
何事なんだ？

ウォンソ……。
ラニが……、

ウジュ。やっと来たの？ずっと待ってたのに。
ガチッ

どうしたんだ？
ウォ……ウォンソ、ウォ……。
アレレ
あ、話中だったの？
ラニがいると聞けないだろ！

宇宙食食べたことある？
栄養もあるし
美味しいって。
ジュルッ
……。
それが
聞きたいこと？
カチン

宇宙食はいろいろ食べたことある。
僕はいいから、それはウジュが
食べればいいよ。対決会場に
向かいながら食べな。
……。

何だよ？ 僕は勝手にするから。
今日勝てたのは僕のおかげだろ！
僕がいなきゃベスト16の
見学さえできなかったハズ。
だから格好つけんな！
ガルル
？

イヤ。地球では
地球食を食べなきゃ。
腹ペコなんだ。
ドカッ

分かった、食べて来な。
でもベスト16はゴールじゃなくて新たなスタートってこと、忘れるな。
ウジュの目標は知らないけど……。
カミ
カミ
?
宇宙食も全部食べてやる。

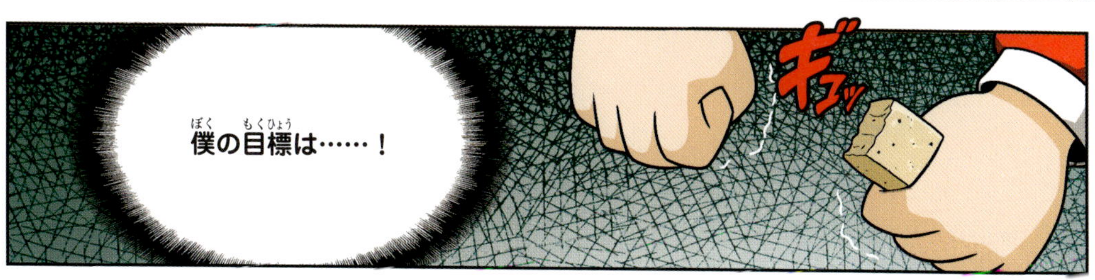
ギュッ
僕の目標は……！

実験王になって……、
実験王
クチャ
ラニと幸せに過ごすことだったのに！
ジャー
クチャ
クチャ
ウジュ～急いで食べて来てね。

お前のせいで僕の目標を
あきらめるワケにはいかない！

ガシッ
ウォンソ！

ココよ、
こっちに座って。
あ？　セナ。
ガシッ

対決が一番よく
見える席よ。
私が取って
おいたの。

分かった、
ありがとう。
スーッ

セナ、
ありがとう。
この子何よ？
席１個ズレてよ！
ギャー

……。
……。
……。

あのさっきからウジュが……。
食堂から
ずっと。
僕も見た。

メラ
メラ
何してるん
だろう？

不確実なことで夢を
あきらめられるもんか。ちゃんと
あいつの本心を確認しなきゃ！
緻密な計画によって……。
彼を知り己を知れば百戦殆うからず！

ウジュの緻密な計画
❶ウォンソがトイレに行く時に近付く。
❷ラニが好きか聞く。
❸「イヤ」という答えを聞く。
NO.
完璧！

こっそり監視して
チャンスが来れば……。

え？
リンゴ？

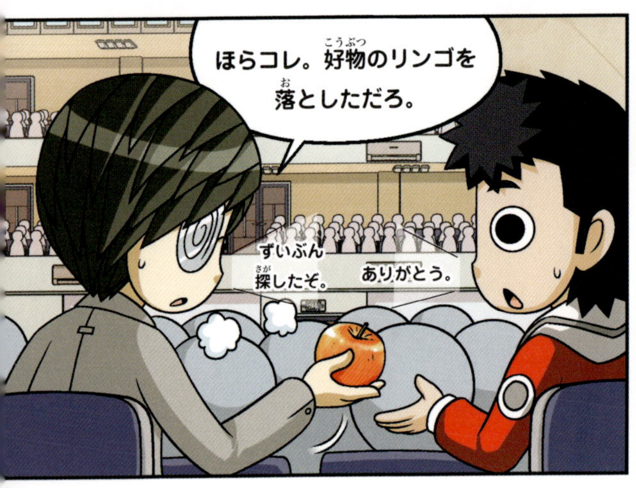
ほらコレ。好物のリンゴを
落としただろ。
ずいぶん
探したぞ。
ありがとう。

ワァァ
対決チームが
入場します！

ワァァ
ワァ
スイスチーム
タイチーム
タイチームとスイスチーム。どちらがベスト16に進むかな？
フンー
今大事なのはそれじゃない。

タイチーム対スイスチームの本戦対決を始めます。まず……。
対決の結果より大事なことって何？ まさか対決のテーマ？
大事なのは、

ウォンソがトイレに行くタイミングだ。
ドドーン
え？ トイレ？

対決テーマは……。
ザッ
重力

「重力」です！
重力？
重力
ワアアア

重力ならさっき君が言ってた地球がリンゴを引っ張る力だろ。
フーン
そう。僕が一番好きなテーマさ。あの子たちラッキーだね。イヤ、僕がラッキーなのか？
フフフ……

でも重力に関する
実験なら、モノが地上に
落ちるだけだろ？
とんでもない！
重力に関連した実験が
どんなに多いか。その
1つがまさに万有引力の
実験だよ！

イギリスの科学者、ヘンリー・
キャヴェンディッシュの実験で、
万有引力が実際に存在するって
ことが証明されたんだ。
重い。
つかんでて。

万有引力は質量を持った物体が引っ張り合う
力だって言ったよね。まさかあの鉛球が
引っ張り合うってこと？
ククク
変だよね。

そうだよ。
よく知ってるね。
引っ張り
合うだと？
そんな

ハハ……
危うく信じるところだったよ。ジッとしてる鉛球が引っ張り合うって？万有引力で？
ゴロ
ゴロ
そうだってば。信じられないの？

見て！　もしリンゴ2つを机の上に置くと、リンゴが引っ張り合ってくっ付かなきゃいけないけどそうじゃないよね。1年経ってもくっ付かないよ！
トン
トン

当然さ！　机の上の２つのリンゴの万有引力はとても小さいから摩擦力で引き止められるんだ。
万有引力
摩擦力
摩擦力
でももし……。

２つのリンゴを地球から離れた宇宙空間で重力が働かない真空状態に置けば……、
摩擦力が減って、
まさか……。

ピタッ
ハッ
２つのリンゴが近付く？

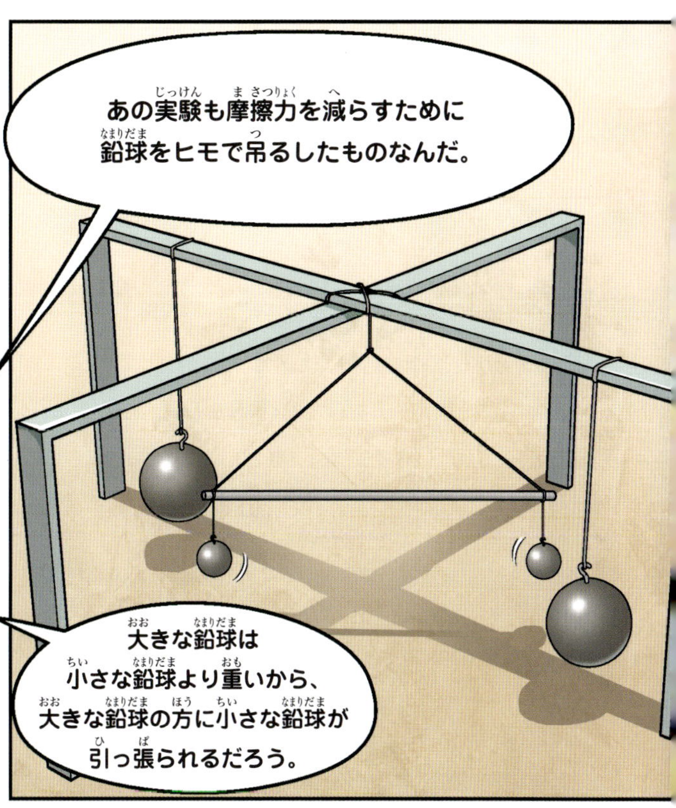
あの実験も摩擦力を減らすために
鉛球をヒモで吊るしたものなんだ。
大きな鉛球は
小さな鉛球より重いから、
大きな鉛球の方に小さな鉛球が
引っ張られるだろう。

万有引力に
よって？
コクッ

シーーン……
小さな鉛球が大きな
鉛球に近付くと……。
ゴクッ

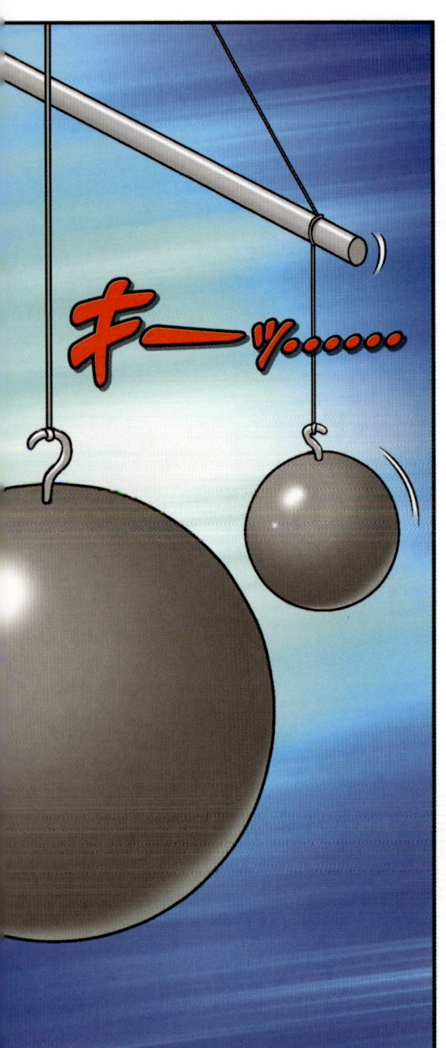
キーッ……

アッ！
動いた？

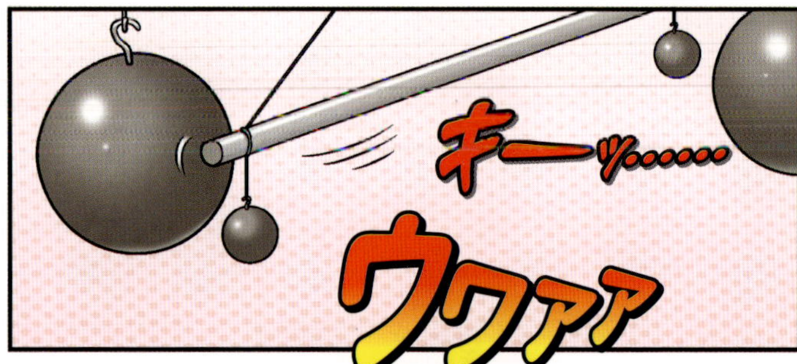
キーッ……
ウワァァ

スーッ

ワァァ
僕も見えたような……。
本当？ 私見えなかったけど。
とっても微妙だけど動いたみたい！
ウワッ、見た？ ヒモが微妙にねじれた気がする！
ワァァ

あれがつまり
万有引力なんだ！
見ただろ？
ガバッ

見た！
今ウォンソが
動いたぞ。
でも……。
ウォンソ？

ワァ
着席
摩擦力のせいで失敗した！
トイレが万有引力で
ウォンソをもっと
強く引っ張らなきゃ
いけなかったのに。
チェッ……
万有引力を
トイレに
例えるなよ！

地球で経験する無重力状態

すべてが空中にフワフワ浮かんで上下が区別できないほどに完璧な無重力状態ではないけれど、地球でもこれと似たような状態を作ることができます。そして、この無重力状態の中で大変短いけれど貴重な瞬間が体験できます。地球で経験することのできる無重力状態にはどのようなものがあるか調べてみましょう。

落下するアトラクション

速いスピードで下に落ちる刺激的なアトラクション、＊ジャイロドロップに乗ったことがありますか？　ジャイロドロップに乗るとフワッと浮かぶ感覚を経験することができます。ジャイロドロップが落下する間、ジャイロドロップに乗っている人も同じ速度で落下することになりますが、この時瞬間的に重力が小さく感じられて体がフワッと浮くのを経験できるのです。バイキング、ジェットコースターなどのアトラクションでもこれと似たような感覚を経験することができます。

＊韓国のロッテワールドにあるアトラクション。

空を飛んで感じる無重力飛行

特殊製造された飛行機が放物線に沿って空に急上昇して急降下すると20～30秒の間、無重力状態が作られます。放物線に沿って自由落下する原理を利用して無重力状態を作ったのです。実際にこの方法は宇宙飛行士の訓練や映画撮影、一般人の無重力体験などに利用されています。

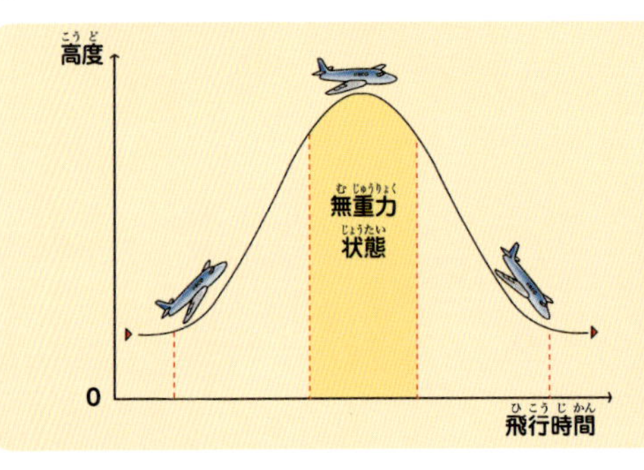

©Sergey Kohl

ゼロ－G（Zero-G）　無重力状態を体験できるよう特殊製造された飛行機。

体がプカプカ浮く死海

　無重力状態が経験できる一番簡単な方法は、浮力を利用して水に浮くことです。浮力は気体や液体の中にある物体を浮かせる力で、重力の逆方向に作用します。そのため、浮力が重力より大きければ物体は上に浮かび、浮力が重力より小さければ物体は下に沈むことになります。死海は塩分濃度が普通の海水の５倍以上濃い湖で、ほとんどの生き物はココで生きることはできません。そのため、名前も死んだ湖という「死海」になったのです。死海は高い塩分濃度のせいで水の密度が高く、このため浮力が大きく作用します。したがって死海では水泳ができない人でも、まるで無重力状態で空中にフワフワ浮いているかのように水に簡単に浮くことができます。

©vvvita

死海の湖岸　死海はイスラエルとヨルダンにまたがる湖で、湖岸には塩の塊が見られる。

浮かぶことも沈むこともない水中

　浮力は宇宙飛行士が宇宙遊泳を訓練するのに利用されたりもします。宇宙遊泳とは宇宙飛行士が宇宙船の外に出て無重力状態で行動することで、宇宙飛行士は宇宙船を修理したり宇宙ステーションを組み立てたりするために宇宙遊泳を行います。宇宙遊泳訓練は浮力と重力の力が同一の中性浮力状態の水中で行われます。中性浮力状態では体が浮かんだり沈んだりすることがないので、無重力状態で自由に漂うような経験ができます。酸素ボンベを着けて潜水する水中スポーツのスキューバダイビングでも、これと似たような経験ができます。

©vicspacewalker

宇宙遊泳訓練　宇宙飛行士が水中で中性浮力を利用して宇宙遊泳の訓練を行っている。

第4話

カンリムからの手紙

＊万有引力定数　質量を持った２つの物体の間に作用する引力の大きさを表す数。

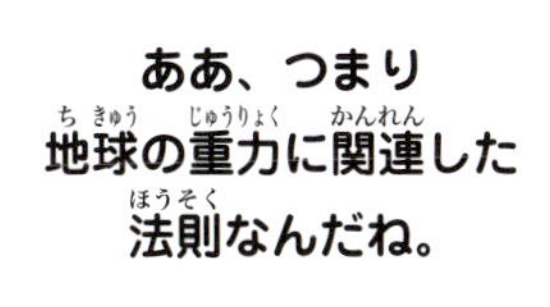

ああ、つまり地球の重力に関連した法則なんだね。

重力
スラ
スラ

でも、万有引力と地球の重力は同じだと言えないの。もちろん地球の重力は万有引力に含まれてはいるけど……。
え？どうして？

それはね。

地球が自転してるから地球の上にある物体は遠心力を受けるんだ。地球の重力はこの遠心力と万有引力を合わせた力だと考えればいいんだ。
遠心力
万有引力
重力
地球
うん。それに遠心力と万有引力は緯度ごとに違うから、重力も緯度によって少しずつ変わるんだ。
オオ〜
キラッ

どうして
あんなにくっ付いて
話してるんだ！
ウジュの目に
映った姿
離れろ！
離れろってば！
シャクシャク

それは知ってるよ。でも、
僕にも引っ張る力が
あるんだ！ この
リンゴのように！
見えない？
この熱い気持ちが。

離れられないよ。
重力はただ引っ張る
だけだから。
ヒョイッ

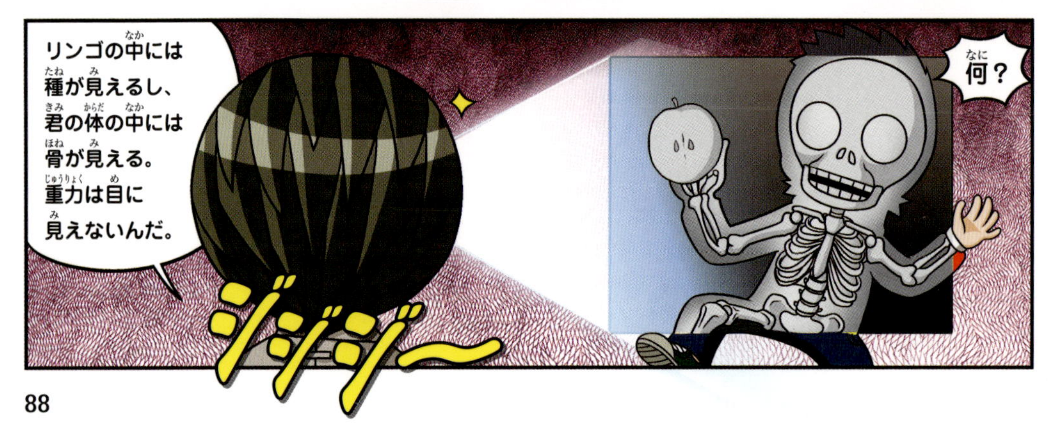
何？
リンゴの中には
種が見えるし、
君の体の中には
骨が見える。
重力は目に
見えないんだ。
ジジジー

実は、重力は物体が他の物体を直接引っ張っている
わけじゃないんだ。物体が時空を歪めて、
それによってできているんだ。
まさにあの実験のように！

タイチームの実験？
あれは弾力がある
トランポリンみたいだけど。
イイヤ。あのゴムシートは
時空を表すものさ。あの中に
重い物体が入ると……。
クルクル
ゴロゴロ
あれ見て。
まさにあれさ！

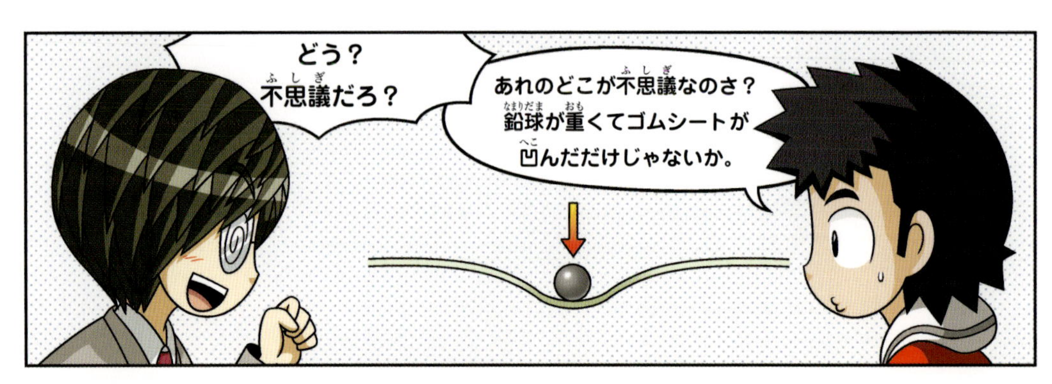
どう？
不思議だろ？
あれのどこが不思議なのさ？
鉛球が重くてゴムシートが
凹んだだけじゃないか。

スーッ
じゃ、あそこに
小さな鉛球を入れたら
どうなるか？
そりゃ、ゴムシートが少し
凹むんじゃない？ どうして
当たり前なことを聞くんだ？

ゴロゴロ
果たしてそうかな？

ゴロゴロ

ピタッ

小さな鉛球が大きな
鉛球の方に転がって
行ったよ。どうして？
どうしてかって。
スイスチームの実験と
同じ結果だろ。
ハッ
鉛球どうしが
引き寄せ合った。
鉛球どうしが引き寄せ
合ったって？ じゃ、
あの実験はニュートンの
万有引力の実験？
フッ……
イヤ、あれはアインシュタインの
一般相対性理論によって
万有引力を説明した実験なんだ。

ニュートンが万有引力の法則によって
物体間の重力の法則を説明したと
したら、アインシュタインは重力
現象そのものを説明してるんだ。
ニュートン
アインシュタイン
重力

アインシュタイン？
ウォンソが一番
好きな科学者！

あのゴムシートを
時空と仮定してみて。
ゴムシートが鉛球の
質量で歪んだように、
時空も地球の質量で
歪むんだ。
時空が歪んでいるから
他の物体がそっちに
吸い込まれていくんだね。
その現象が
まさに重力！
パラ
パラ

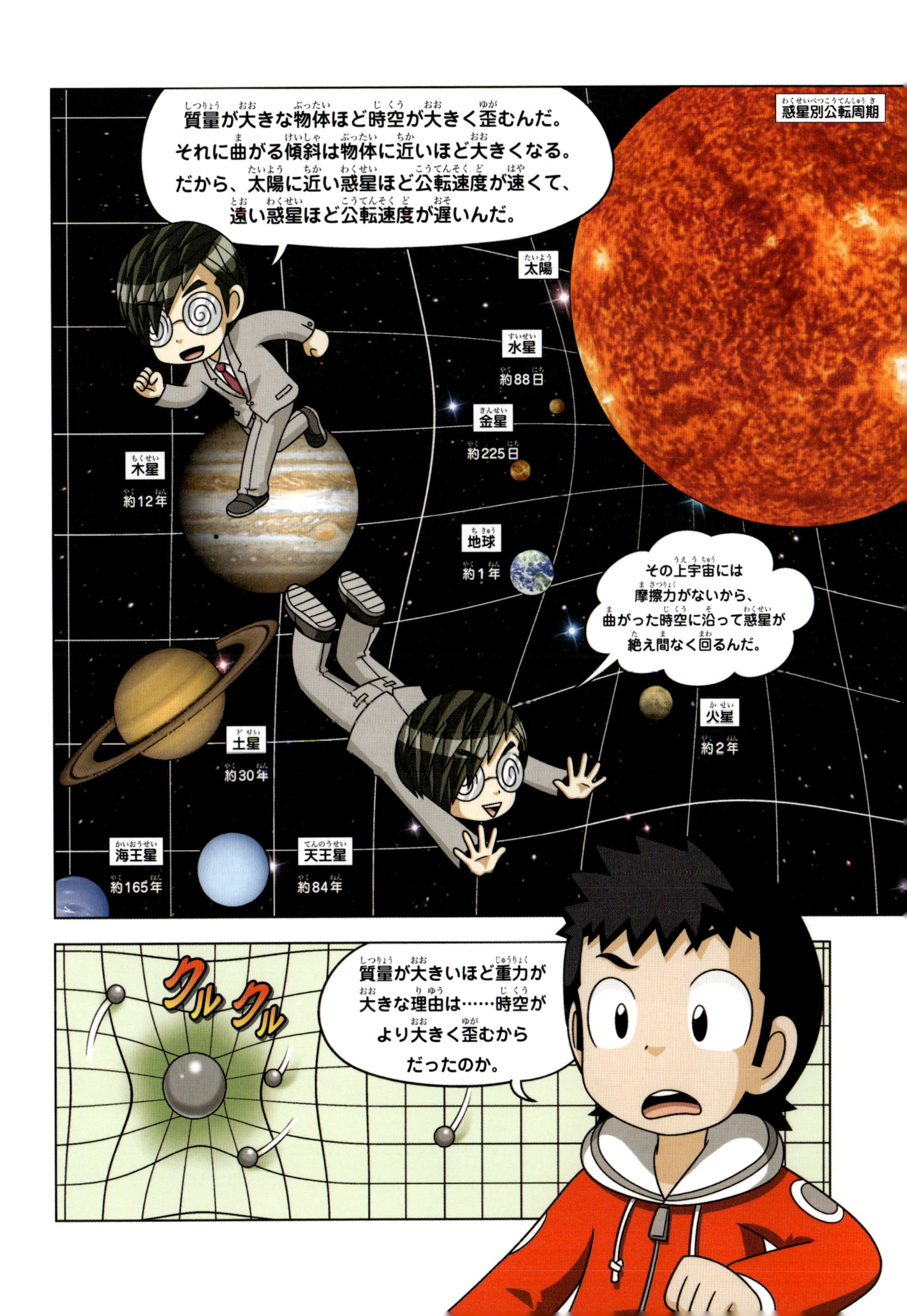
惑星別公転周期
質量が大きな物体ほど時空が大きく歪むんだ。それに曲がる傾斜は物体に近いほど大きくなる。だから、太陽に近い惑星ほど公転速度が速くて、遠い惑星ほど公転速度が遅いんだ。
太陽
水星
約88日
金星
約225日
木星
約12年
地球
約1年
その上宇宙には摩擦力がないから、曲がった時空に沿って惑星が絶え間なく回るんだ。
火星
約2年
土星
約30年
海王星
約165年
天王星
約84年
質量が大きいほど重力が大きな理由は……時空がより大きく歪むからだったのか。
クルクル

それにアインシュタインは相対性理論を使って質量とエネルギーは同じだってことを説明したんだ。
質量とエネルギー？
アインシュタインはE=mc²という有名な公式で光から最も大きなエネルギーを探し出したんだ……。
あ！思い出した。
知ってる。それは……。
エネルギーは質量かける光の速度の２乗！
E=mc²
時空を難しく考えないで。僕の手が太陽で、君の手が地球なら……。
何してるの？
うっうん。
サッ

相対性理論を知ってるのか！君はもう宇宙の法則を知っているも同然さ。
あいつ……！
セナの手は振り払ったけど、ラニの手はつかんでる。
宇宙の法則……。
物体の質量が大きいほど時空が大きく歪んで他の物体を引っ張る！
あ、やっと分かった。
コクッ

大きくてハンサムな太陽は
美しい地球をとても強く
引っ張れるけど……。
小さくてブサイクな
月はほんのちょっとしか
地球を引っ張れ
ないんだ！
イ、イ、
イヤだああ！
ウウッ
ウォンソが
太陽なら僕は
月みたいな存在
……。

そう。それは絶対に変わらない法則さ。

でも月が太陽より有利な点といえば、地球の近くにあるという……。
ガバッ
え？

タタタタッ
オイ、ウジュ！
まだ説明中だけど……。

では、対決結果を発表します。
ワアアア……

ワィワィ
午後の対決も楽しみ。
日本チームが勝つんじゃない？

全体練習室

さあ、そろそろ片付けよう。

対決会場
ワァァ
さすがスゴい！

ワァァ

先に行ってて！リズと話があるから。

後で宿舎で会おう。
うん、分かった。

スタ
スタ

ハァ〜
みんな実力がスゴいね？本選対決の実験を見れば見るほど、私たちが残っているのが信じられない。

時間が経つほど緊張するみたい。次の対決までこのままだったらどうしよう？
ベスト16が出そろった頃には適応できてるよ。

コクッ
だよね？それを聞いて安心したわ。

ところでそれは何？
あ、そうだ。

これお弁当なんだけど……。
僕は必要な……。

部屋に行ったらウジュに渡してくれない？
ウジュがずっと見えないから念のため食堂から持ってきたの。

うん……。

ジェ、ジェウォン？
ならば！
ニュッ
ギクッ
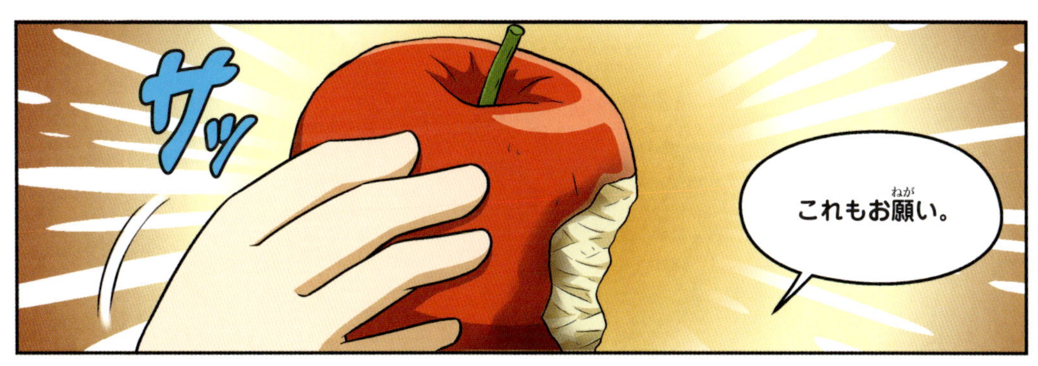
サッ
これもお願い。

この汚いリンゴは何!?
ブ～ン

午前の対決でウジュが落としていったリンゴです。
ウジュが食べ物を落としたって？

理論物理学者のアインシュタインは多くの発見と研究を通じて物理学を生まれ変わらせました。
前
古典物理学
後
現代物理学
アインシュタイン
フゥ
それがどうした？

どうも今日はウジュにとってそんな日になるかも。まるで生まれ変わる……。
スッ
何？

だから必ずリンゴを渡してあげて。
僕がなぜ……。

トボ
トボ

……。
ブル〜
じゃ、明日ね、ウォンソ。
トボ
トボ

あ？

どうしてこんなに
遅いんだ！　どんだけ
待ってたか
知ってるのか？
ガバッ

お前こそ
ココで何を？
ウジュの
だから。
僕の？

待ってたんだ！
今日絶対知りたい
ことがあるから。
ピタッ

今日はウジュにとって
そんな日になるかも。
スーッ
男同士、
正直に答えろ！

ウォンソ、
好きな人いるのか？

……。

もしかして
それは……
ラニ？

分かった。一度だけ
言うからよく聞けよ。
ドキッ
あ……？

タタタッ
あれ？
タタタッ
ネエ！
僕が……。
ラニだ！
ダメ、ダメ！
言うな！ ラニが
聞いちゃダメ！
ギャーーッ

絶対ダメ！
ヒョイ

ハハハ〜
ウジュ、ココに
いたのね？
うん！
ラニ、何？
どうしたの？

これ見た？
部屋にこんな手紙があったの。
2人の部屋にはなかった？
手紙？

キーッ
あ？
あった。

え？招待状って書かれてる？
うん、読んでみて。

ベスト16進出チームと候補チームへ
優勝候補だった僕、カンリムが君たちに
優勝に関する情報をプレゼントする。
・時間：今晩10時
・場所：対決会場の西側広場
・追伸：この手紙をもらってない
人には絶対秘密！
～カンリム～
優勝に関する情報……？

チェッ
カンリムのイタズラかなんかじゃない？
そうかな……？

ウォンソはどう思う？
チラッ

プクッ
アッ！　その
リンゴ！　ウジュが
食べてたリンゴを
なぜ……。
ワナワナ
ブルブル

ペッ
コトン
ゴロッ

ウジュ！
男同士の話だ、
よく聞けよ。
ポキッ

友よ、ごめん！
僕がふざけ過ぎた。
質問は取り消す！
答えないで！
ラニの前で
だけは勘弁！
どうしたの？
ササササッ

こんなつまんないことに気を使わないで、
ならば……。
スーッ

ウォオオオオ
勝手に他人の口に入れないで、ゴミはゴミ箱に入れな！
いくらでも破りな。僕が片付けるから！ 君は本当に口が固いからね。
ビリ
ビリ
ビリ
ビリ
ビリ
食べかけのリンゴでも片付けな！
はい、はい！
ウィーン
全部君の言う通り。カンリムが何と言おうとそれに騙されちゃいけないね。もちろん！
ササッ
ウン、私も分かった……。

アインシュタインの重力実験

実験報告書	
実験テーマ	スパンデックス生地と数個の鉛球を使った実験を通じてアインシュタインの重力の概念について調べてみましょう。
準備する物	❶円形水槽　❷スパンデックス生地　❸大きな鉛球２つ ❹小さな鉛球１つ　❺ヒモ 
実験予想	❶ 鉛球によってスパンデックス生地は下に伸びるでしょう。 ❷ 鉛球の重さによってスパンデックス生地が下に伸びる程度が異なるでしょう。
注意事項	❶ スパンデックス生地の弾性によって鉛球が外に飛び出さないよう注意しましょう。 ❷ スパンデックス生地を強く張り過ぎないようにしましょう。

郵 便 は が き

ここに切手を貼ってね！

1048011

朝日新聞出版　生活・文化編集部

「サバイバル」「対決」「タイムワープ」シリーズ　係

☆**愛読者カード**☆シリーズをもっとおもしろくするために、みんなの感想を送ってね。
毎月、抽選で10名のみんなに、サバイバル特製グッズをあげるよ。

☆**ファンクラブ通信への投稿**☆このハガキで、ファンクラブ通信のコーナーにも投稿できるよ！
たくさんのコーナーがあるから、いっぱい応募してね。

ファンクラブ通信は、公式サイトでも読めるよ！　サバイバルシリーズ　検索

お名前		ペンネーム	※本名でも可		
ご住所	〒				
電話番号		シリーズを何冊もってる？	冊		
メールアドレス					
学年	年	年齢	才	性別	
コーナー名	※ファンクラブ通信への投稿の場合				

※ご提供いただいた情報は、個人情報を含まない統計的な資料の作成等に使用いたします。その他の利用について詳しくは、当社ホームページ https://publications.asahi.com/company/privacy/ をご覧下さい。

☆本の感想、ファンクラブ通信への投稿など、好きなことを書いてね！

ご感想を広告、書籍のPRに使用させていただいてもよろしいでしょうか？

1．実名で可　　2．匿名で可　　3．不可

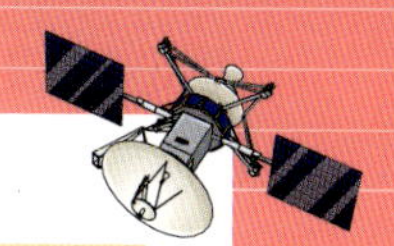

実験方法

❶ スパンデックス生地を円形水槽の口に被せ、ヒモを利用してしっかり固定します。

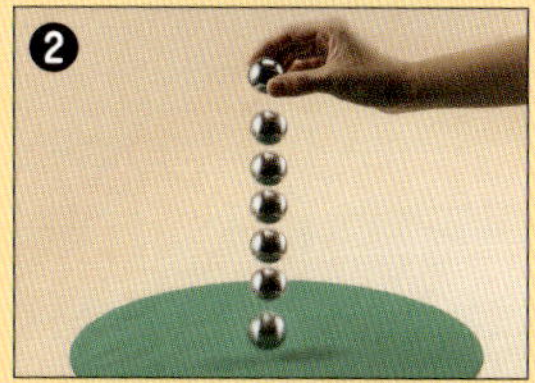

❷ **実験1** スパンデックス生地の上に大きな鉛球1個を落とし、生地の様子と鉛球の動きを観察します。

❸ **実験2** 大きな鉛球2個を間隔を開けてスパンデックス生地の上に同時に落とし、生地の様子と鉛球の動きを観察します。

❹ **実験3** 大きな鉛球1個をスパンデックス生地の中央に置いて、小さな鉛球1個を曲がったスパンデックス生地の曲面に沿って転がします。

実験結果

❶ **実験1** 平らなスパンデックス生地の上に大きな鉛球を落とすと、鉛球の重さによって生地が下に伸びます。

❷ **実験2** 平らなスパンデックス生地の上に同時に2個の大きな鉛球を落とすと、2個の大きな鉛球は生地の中央に転がり、最後はぶつかります。

❸ 実験３ 小さな鉛球は曲がったスパンデックス生地の曲面に沿って回り、大きな鉛球の方に転がってぶつかります。

どうしてそうなるの？

アルベルト・アインシュタインは重力を時空の歪みが起こす現象だと考えました。物体の質量が時空を歪めさせ、時空の歪みが重力を起こすというのです。実験の中の鉛球は天体、スパンデックス生地は天体の質量のせいで歪んだ時空を表しています。実験結果を通じてアインシュタインの重力の概念を理解してみましょう。

実験１ の大きな鉛球によって下に伸びたスパンデックス生地は、物体の質量によって歪んだ時空の概念を表します。実験２ で２個の鉛球がぶつかったのは歪んだ時空によって生じた重力が作用したものと見ることができます。実験３ の大きな鉛球の方に転がり落ちた小さな鉛球を通しては、物体の質量が大きいほど生地は大きく歪んでいます。小さな鉛球が大きな鉛球のせいで伸びた生地の曲面に沿って転がるように、太陽系の惑星もまた太陽が作った歪んだ時空の影響を受け太陽の周りを公転するのです。

ただ、実験の中の鉛球は摩擦力によって動きを止めますが、太陽系の惑星は摩擦力がない宇宙空間にあるので太陽の周りを回り続けるのです。

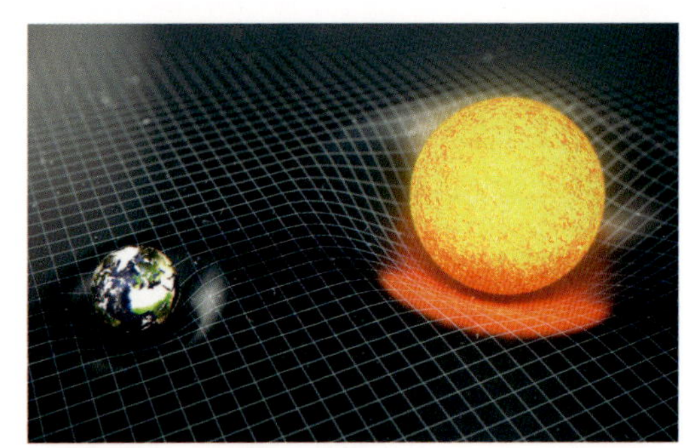

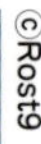

物体の質量によって歪んだ時空のイメージ図　物体の質量が大きいほど時空の歪みも大きい。

博士の実験室２

無重力状態での生活

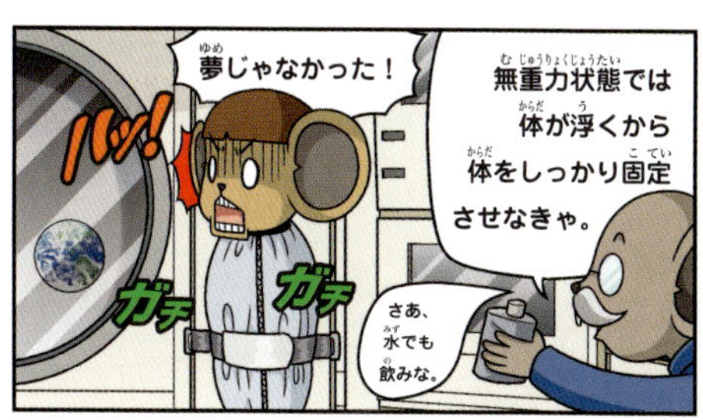

重力に劣らず 美しい無重力

カチャッ

ムニャ……

フウ……
1人はシャワーを浴びてから寝るって言っときながら先に寝るし、
もう1人は一人部屋を使うと言っときながら毎日ジマンの隣で寝てるし。
疲れるハズだよね。今日はたくさんのことがあったから……。

起こさないで。
絶対！
～ウジュ～

男同士、
正直に答えて。
……。

パチン

おやすみ。

起こさないで。
絶対！
～ウジュ～
ヒョイ～

ボロ
カンリムが持(も)つ優勝(ゆうしょう)に関(かん)する情報(じょうほう)が分(わ)かったら！
ボロ

10時(じ)、10分前(ぷんまえ)！
パチッ

僕(ぼく)もウォンソぐらい強(つよ)くなれるかも知(し)れない。
そうしたら、ラニも僕(ぼく)の重力(じゅうりょく)に引(ひ)っ張(ぱ)られるよね？
トボ
トボ

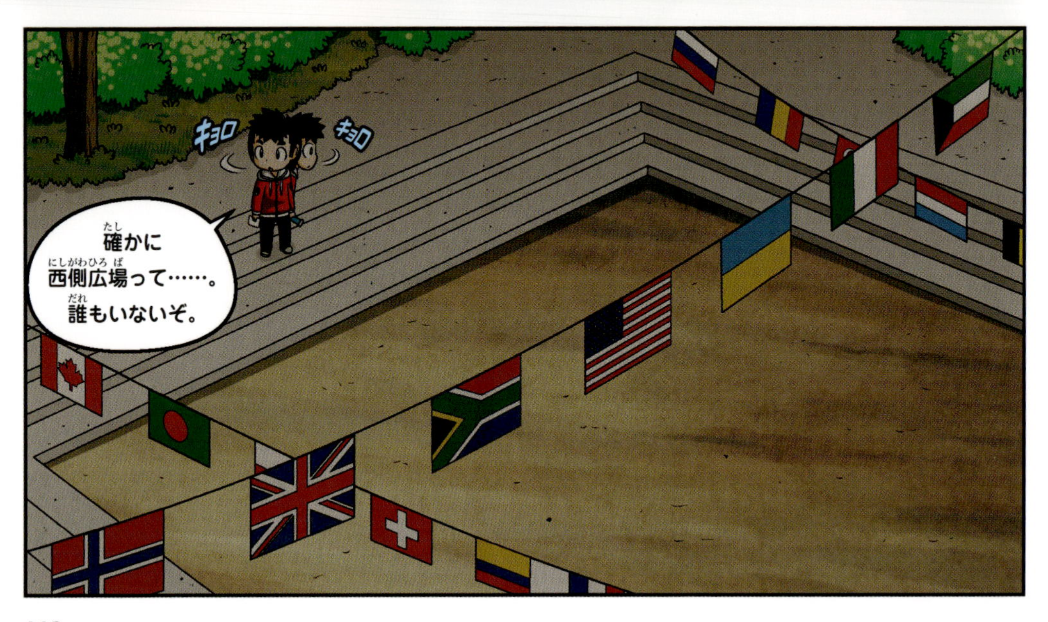
キョロ
キョロ
確(たし)かに西側広場(にしがわひろば)って……。誰(だれ)もいないぞ。

まさか本当に
カンリムのイタズラ？
ピカッ
ガサッ
アレ？

トーマス！

カサッ
マックスも？
タイチーム！
それに……。
日本チームも？
みんな集まった！
ラニまで！

エッ
ビクッ
ラニ……？

アッ！　ウジュ。
ラニも
来たんだ。
ハハ

ドーン
ウィーン
あれ見て！
ドローンだ。
どこから
出てきた？
ウワ！

ウィーン
アレ？

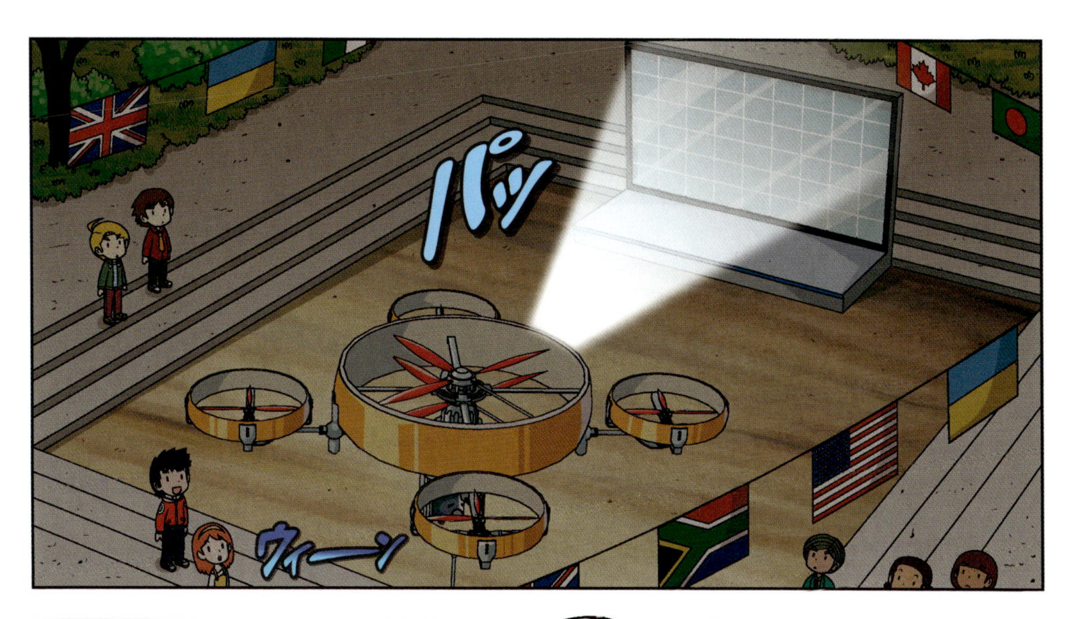
パッ
ウィーン

カンリムだね。もう、どこなんだ？
みんな、元気？お待たせ！
ドローンから映像が出てるぞ。
ホオ……
ジャーン
カンリム！

正直に言って……。

みんなこのハンサムな顔をしっかり見ておけよ。明日にはココを発つからね。
ニヤッ

僕は今日の午前中まで僕らのチームが優勝すると固く信じてた。心の中に優勝の希望があったから。たぶんみんなも同じだろうね。
優勝の希望！
優勝……。僕らが？

ウィーン
今から僕が知っている優勝に関する情報を君たちにプレゼントするよ。大会最終日、特別賞が発表されるの、みんな知ってるだろ？

特別賞？そんなのがあるの？
優勝チームに与えられる賞よ。
昨年の特別賞はノーベル賞を受賞した物理学者に会えるチャンス。スゴく欲しかったけど！
それに一昨年はNASA（アメリカ航空宇宙局）の研究所訪問だった。
スゴかったね。

ザワ
今年の特別賞を教えてくれるの？
ザワ
カンリムがそれを知ってるの？
ザワ

これから僕が
話すことは絶対秘密！
主催者側が知ったらみんな
罰を受けるから。
特別賞！
おしゃべりは
止めて本題に入れよ！
ブウ〜
本当に
知ってるの？
ブウ〜
分かったから
早く！

僕は特別賞が何か
知ってから優勝したい
気持ちが強くなったんだ。
ウィ〜ン
ゴクッ
特別賞は
まさに……。

まさに……。
ジジッ
ジジジッ
まさに
まさに……。

何だ！ 画面が
どうして
急に？

パタ
パタ
ババババッ

ピッ
画面が消えた。
あれ見て！ドローンが万国旗に引っかかった。
こんな大事な時に！

ウワッ、こんなハズじゃ！
ガバッ

カンリム、そこに隠れてたのか？
隠れてない！
操縦してたんだよ！

ウィ〜ン
キュルル
キュッ
キュッ
ドローンの操縦はスゴく繊細で難しいんだぞ！

そこにいるのは、誰だ!?
SECURITY
ギクッ

大変だ！
コラ、こんな遅くにそこで何をしてる？
あっちにもいるぞ。

僕たちみんなバレたらお終いだ！
ウッ……
じゃ、早く……。

そんじゃ！
僕もこれで。
パッ

ヨロッ
ウワア、早く逃げろ！
ドン
スタタッ

危ない！
ガシッ

ラニ！
ハァ〜

パッ!!
捕まえ……、

ビューーン
走って!
……た!?
バババッ

ギュッ
タタタタッ
みんな一瞬で
消えましたな。
暗くて顔も
見れなかった。
まったく。

ハァ
ハァ
ハァ
プシュシュ……

カンリムはよくふざけるけど、
ウソは付かないでしょ。
それにあの話も本当の
ようだったし。

ラニは実験に関してはいつも確信を持って1度も揺れることなかった。
僕はそんなラニが大好き！

僕がラニの夢を
守ってあげる。
フッ〜
分かった。

その夢が叶えられるよう手伝うよ。
ドローンを下ろして映像を見よう、
みんなで。
本当？
それがラニが
望むことなら！

ハッ
でもどうやって？
僕を
信じなって！
ハッ
ハッ
チュン
チュン
次の日

ちょっと
待って！
スタ
スタ

カンリム！

フッ
さすがウジュ！
お前が来ると
思ったよ。
どうしてこんな早くに出発
するんだ？　もう少しで会えない
ところだっただろ。
ハァ
ハァ

気になるのはそれじゃないだろ？
早く聞きな。時間がないから。
ニヤッ
ニヤッ
フ～
じゃ……。

あのドローンさ、
コントローラー
さえあれば
動くの？

気になることってそれ？　優勝の特別賞が気になったんじゃなくて？

優勝の特別賞が何かはあのドローンを下ろして自分で調べるよ。それを望んでるんだろ？

ジ〜ン
ウジュ……。お前は根っからの実験クラブなんだな！

もちろん！
実験クラブは結果だけが重要なんじゃない。重要なのは実験過程！
ガサゴソ

さあ、これ！
サッ

がんばれよ。お前ならなんとかできるさ。心配してないから。
オー！　やっと僕の天才性を認めてくれるのか？

ドローンが壊れたら修理費を請求するからな！
ブルン
何？　オイ、待て！

修理費？　出発間際にそんなつまらないことを！
ブーン

ウジュ、またな。バイバイ！
オイ、カンリム！
ブーン
バイバイ、カンリム。また会おう！
ピョン　ピョン

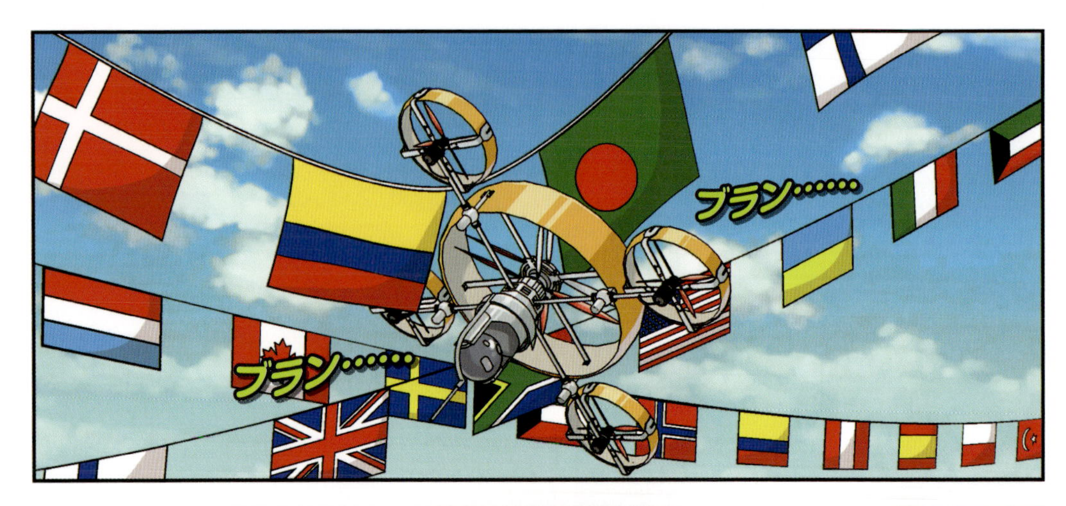
ブラン……
ブラン……

思った以上に高いぞ。

ギラ～ッ
ブラリ
ハッ……

ドローンとにらめっこか？
あの子、何してるの？　まさか昨日のことで？

もう少し！
少し、

ウジュ、僕は君を応援する！
ネエ、時間のムダよ。早く実験の練習したら！
ウウッ！
もう、イライラする。
ファイト！

グラ
グラ
ブラ
ブラ
ウッ！
キャッ！空から葉っぱが降って来る。
あそこになぜかサルが１匹……。

ヒュッ

ジタバタ
ジタバタ
よし！　このままジャンプ力を向上させれば276年後にドローンに届くよ。
ピョン
ピョン

すぐに下ろせると
思ったのにビクとも
しない！
ハァ
ウォンソだったら
下ろせるかな？
ラニを引っ張った
ように……。
重力で……。
ハァ

もちろん！　重力は休まず
作用するからあのドローンはいつか
地面に落ちるよ。たぶんウジュが
ジャンプして下ろすより
ずっと早い。
ジロッ

重力がない宇宙空間なら
ドローンを下ろすぐらい
朝飯前だよね？
あのドローンと僕が
引っ張り合うから。

イヤ、違う。宇宙空間で重力がない場所は
どこにもないんだ。地球の重力から
外れても他の天体の重力の影響を
受けることになるハズだから。
そうなの？　地球から少し
離れただけで無重力状態になるだろ。
宇宙ステーションで宇宙飛行士が
フワフワ浮いてるじゃないか？
フワ
フワ

約45度で急上昇してエンジンを切った状態で
下降すれば飛行機内は無重力の状態になる。

アレ？ 僕の重力が……。
フワ
フワ
僕がラニを無重力状態にさせる！
重力がどんなに強くても反対に働く力があるなら、無重力状態になりうるってことだね？
それスゴく……。

素晴らしい！
キラ
キラ
キラ
そっ、そう。無重力も重力ぐらい美しいさ。

サッ
イヤ！ 無重力の方がずっと美しいよ。なぜなら僕が無重力を利用してあのドローンを下ろすから！

そうすれば、僕も重力、いやウォンソぐらい強くなれる！
スタタッ

ドシン

ハッ!
ダメだよ！無重力状態はそう簡単に作れないって！
ガシッ

ムニャ……
簡単に空中に浮かぶことはできないよ！頼むから動く前に考えろ。
ワナワナ
誰が本当に浮かぶって言った？君のせいで転んだだろ！どうしてつかんだりしたんだ！

重力による位置エネルギーの測定

実験報告書	
実験テーマ	木片とオモリを利用して実験を行い、重力による位置エネルギーと高さの関係について理解します。
準備する物	❶位置エネルギー実験装置　❷木片　❸オモリ ❹両面テープ　❺物差し 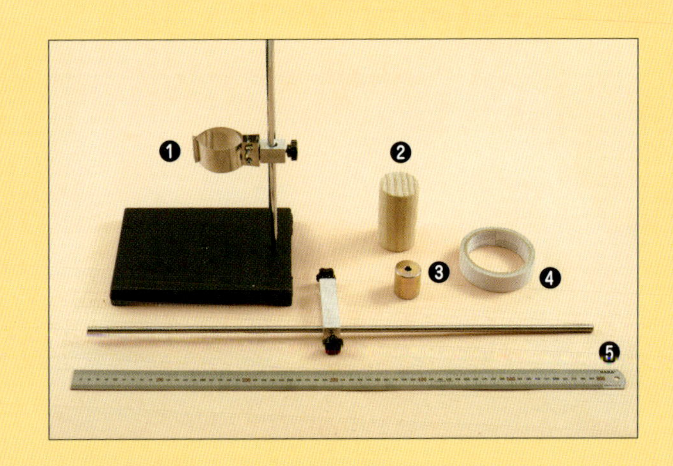
実験予想	オモリを落とす高さによって木片が押されて落ちた距離が異なるでしょう。
注意事項	❶ オモリを落とす際、手をぶつけないように注意しましょう。 ❷ 高さと距離を正確に測定できるよう、物差しと位置エネルギー実験装置が平行になるようにしましょう。 ❸ 実験中に物差しが落ちないようしっかり固定しましょう。

実験方法

❶ 位置エネルギー実験装置に木片を挟み、両面テープを利用して物差しを固定します。

❷ 木片の上の部分から10cmの高さでオモリを落とし、木片が押されて落ちた距離を測定して記録します。

❸ 20cmの高さでオモリを落とし、距離を測定して記録します。

❹ 30cmの高さでオモリを落とし、距離を測定して記録します。

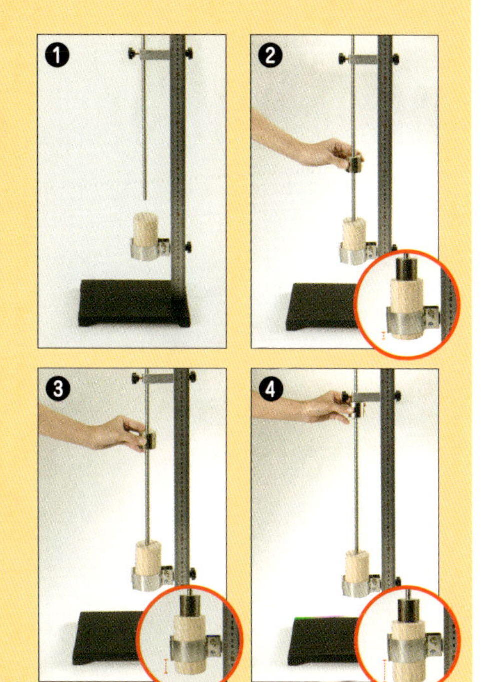

実験結果

オモリを高い場所から落とすほど木片が強く押されて下がりました。

どうしてそうなるの？

下に落ちるオモリが木片を動かすことができるのは位置エネルギーのためです。位置エネルギーは物体の位置に関連したエネルギーで、特に重力がある空間で高さに応じて物体が持つエネルギーを「重力による位置エネルギー」と言います。物体の質量が一定の場合、位置エネルギーは物体の高さに比例します。つまり、物体が高いところにあるほど位置エネルギーが大きくなり、低いところにあると位置エネルギーが小さくなるのです。高い場所から水を落として発電機を回す水力発電も重力による位置エネルギーを利用したものです。

ドローンに込められたもの

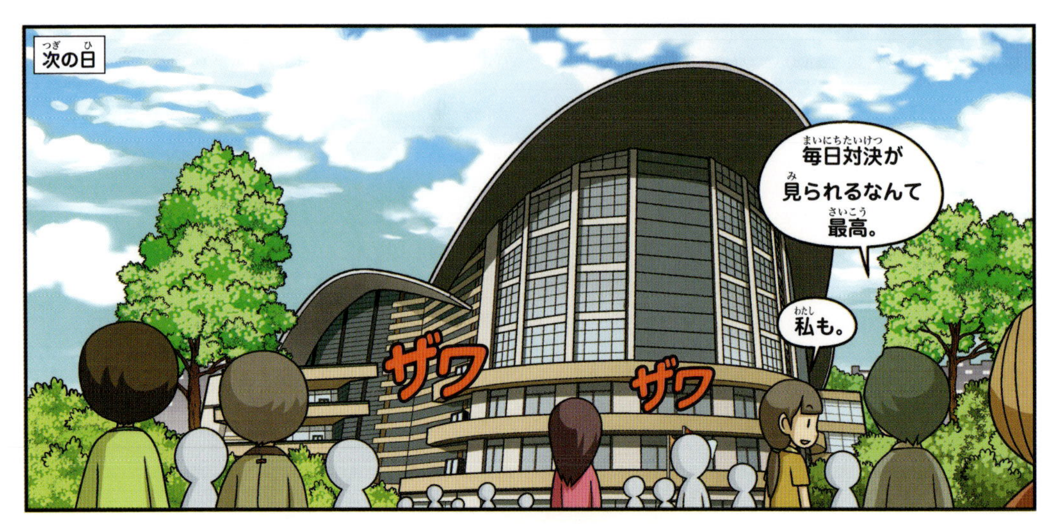
次の日
毎日対決が見られるなんて最高。
私も。
ザワ
ザワ

今日の対決はどこだっけ？全部で12チームが残っていて1日3対決ずつだから……。

明日にはベスト16が全部出そろうよね？
たぶんそうだね。

探す必要ないよ。対決チームは会場に入ればすぐ分かるし。僕らはただ対決を楽しめばいいのさ。

この熱い空気は何？
急に……。
そうだけど……。
メラメラ
ジリ
ジリ

ボ〜
ボ〜
ベスト16がいつ決まるのかも知らない！今日の対決チームも知らない！ただ対決を楽しめばいいって？あんたたち遊びに来たの？
メラ メラ
セっ、セナ。
スゴく熱い。
あ！ 見つけた。オーストラリアチーム対中国Bチームだ！
ブ〜ン

優勝候補のチームは対決の見学どころか、早朝から練習室で実験してるのよ！
残っているチームはみんなライバルよ！気を引き締めなきゃ！
ああ、分かった！
キャー！

暇そうに対決を楽しんで見学してるのはウチのチームだけ……。
今日の対決はオーストラリアチーム？面白そう！
気楽に見られるね。
ゲッ！

セナ？
あっ、熱い！
ジロッ
良かった。ウチだけじゃなかった。
ウォンソ？

ウジュが？
そんな余裕のフリをしてても
騙されないわ。ウジュは早朝から
ずっと実験の練習をしてるでしょ！
フンッ！
知らないフリ？　短期間でウジュの
実力を上げて秘密兵器として利用する
作戦でしょ？　そうでしょ？
チェッ
メラメラ
ウジュだけ訓練中？
勝利戦略？
と～り～は～だ！

確かに兵器にもならないわね。
これ秘密だけど！僕がウチの秘密兵器なんだ。
やっと火が消えた。
フッ……

何言ってるの？
ウジュが秘密兵器に
なるハズないのに。
そりゃそうね。
プシュシュ
フウ……
安心

ウジュは
ドローンを下ろそうとして
何日もがんばってるの。
ドローン？
まだあきらめてないの？
だから練習室で変テコなもの
作ってたのね！

男同士、
正直に答えて！
あれ以来ずっと
見かけなかったけど。

本当にどうしようもない子ね。
あんたたちはウジュに比べれば
ずいぶんしっかりしてるわ！
じゃ、早く対決会場に
入りましょう。
ホメられてるのに
全然嬉しくない。
クルッ

ウォンソ、
私たちも入ろう。
遅れると
席がないよ。
うん、
分かった。

カン
カン
カン
ゴシ
ゴシ
全体練習室

今日も静かに実験できそうにない。
ハア〜。
ビリ
ビリ
ココは自分の家でもないのに。
トン
トン
個人練習室を予約すれば良かった。あいつのせいで実験に集中できない。
ガン
ガン
ガン
実験の練習じゃなけりゃすぐに飛び出したい。
コクッ
トン
トン

ドドーン
ついに完成だ。重力に勝つ力！
ガバッ

やっと終わった？
じゃ、もういなくなるから静かになるよね？
そう。みんな君らのおかげさ。

特にジェウォン！
僕？

ジェウォンは僕に重力に勝てる力があることを教えてくれたんだ。それで実験を始めることができた。
無重力状態は重力が消えたように見える状態だよ。宇宙ステーション内は重力とつり合う力によって無重力状態になるんだ。
重力の逆になる力さえあればいいんだね！
ぼっ、僕が？

何だ、このすべての苦労はジェウォンのせいで始まったのか？
ジロッ
ジロッ
ジェウォン！
まさかあの言葉で実験が始まったとは。

それにリズのアドバイスで実験装置を思いついたんだ！
ビクッ
私……？

僕が重力に勝てる力を探している時、君が力のつり合う実験を見せてくれたんだ。
重力とつり合う実験をするって？
うん。でもどうやればいいか悩んでるんだ。
それが難しいの？物体は重力によって床に落ちるから、重力とつり合えばいいんでしょ。
ドスッ
重力
それならヒモが引っ張る力の張力、物体を支える力の垂直抗力。
張力
重力
垂直抗力
重力
それに弾性を持った物体が元の状態に戻ろうとする力の弾性力が使えるわ。
バネの弾性力
オモリ
オモリの重力
リズ、本当なの？
それってそういうことだったの？
良かった。僕だけじゃなくて。

それで作ったのが
まさにこの靴！
ジャーン
何よ、
それ？
スプリング
シューズ？

弾性力を利用して重力の
逆方向に跳ね上がる！
重力に
勝つ靴！
ピョーン
ピョン
オー！

かなり効果が
あるみたい。
それでいろいろな
弾性物質を
探してたのね。
ゴムヒモとか
スーパーボール
とか。
たくさん練習
しなきゃね。
それにトム！
ギクッ
まさか……僕も？

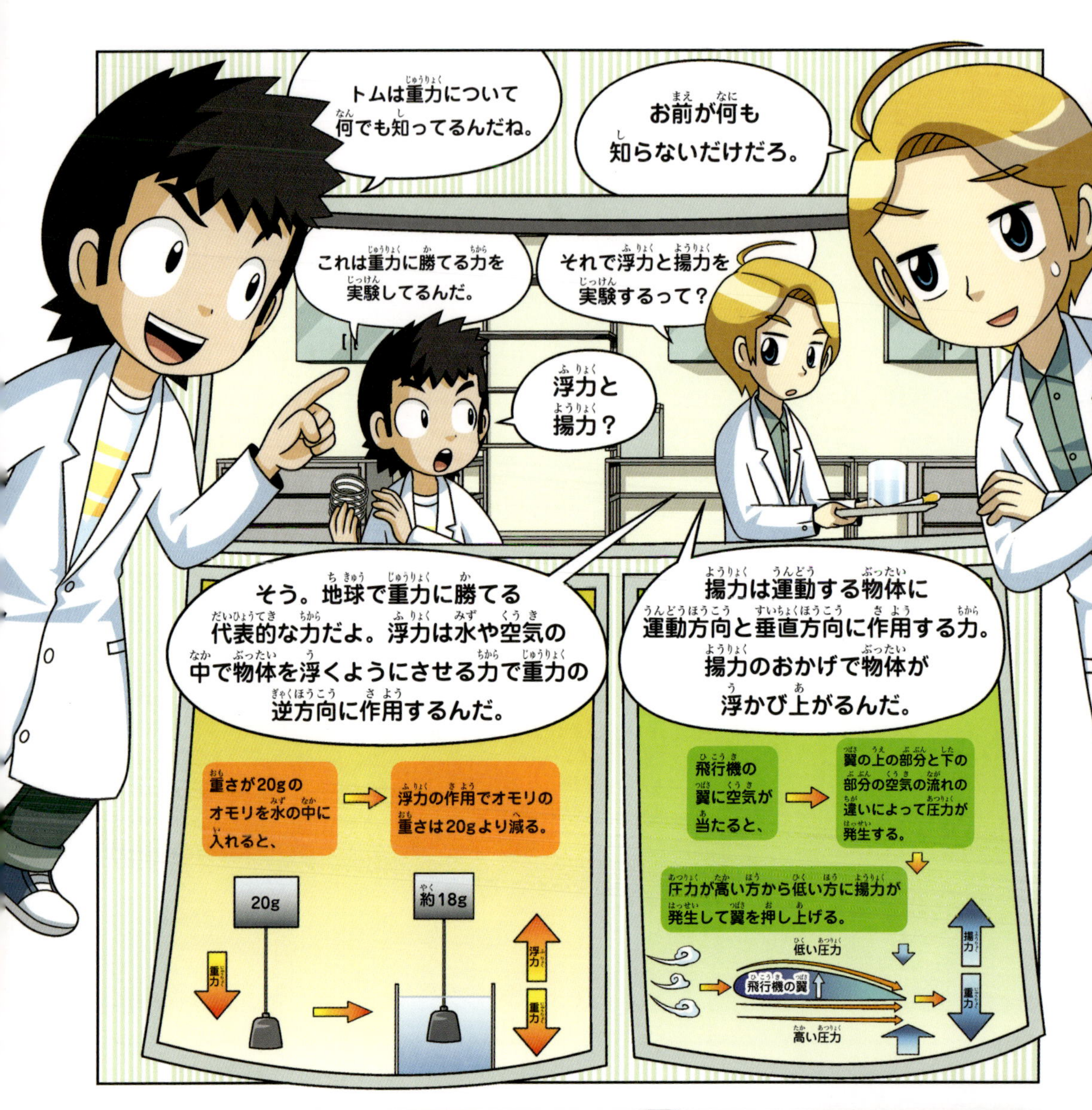
トムは重力について
何でも知ってるんだね。
お前が何も
知らないだけだろ。
これは重力に勝てる力を
実験してるんだ。
それで浮力と揚力を
実験するって？
浮力と
揚力？
そう。地球で重力に勝てる
代表的な力だよ。浮力は水や空気の
中で物体を浮くようにさせる力で重力の
逆方向に作用するんだ。
揚力は運動する物体に
運動方向と垂直方向に作用する力。
揚力のおかげで物体が
浮かび上がるんだ。
重さが20gの
オモリを水の中に
入れると、
浮力の作用でオモリの
重さは20gより減る。
20g
約18g
重力
浮力
重力
飛行機の
翼に空気が
当たると、
翼の上の部分と下の
部分の空気の流れの
違いによって圧力が
発生する。
圧力が高い方から低い方に揚力が
発生して翼を押し上げる。
低い圧力
飛行機の翼
高い圧力
揚力
重力

ボ〜
トムの話を
聞いて……。

浮力と揚力を利用した実験装置が完成！
ジャジャーン
浮力を利用したヘリウム風船！ ヘリウムは空気より軽いから浮力を提供してくれる。
浮力
揚力
それに揚力を利用したハンググライダー！ 風にうまく乗りさえすれば空で長く浮いていられる。
すぐにでも浮かびそう。
体が本当に軽く見えるのは見間違い？
なんだか成功しそう。

ドア開けてくれる？
喜んで！
ヒー
ヒー
チッ
じゃないね。

あ、それに日本Aチームのユウトだっけ？　君が決定的なヒントをくれたんだ。
え？　僕が？
君も……。
イヤ、僕は何も手伝ってないよ！
地球を脱出するというのは地球の重力に勝たなきゃいけないという意味だ。
じゃ、重力に勝てる速度が必要ね？
ユウトはその速度を知ってるんだろ？
ビクッ
重力に勝つにはスゴい速度が必要だってこと！
ウン。物体が地球の重力に勝って宇宙に出られる最低速度を脱出速度って言うんだ。地球の場合、脱出速度は秒速約11kmだよ。
スゴい速度！
あれを聞いてたのか……？
それが一番決定的だった？僕の話より？
弾性力が最高よ。
浮力、揚力が大事さ！

＊ウジュの実験は危険なので真似しないで下さいね！

最大限の速度を出し！
ピョン
弾性力で重力と反対になる力を作った後、
揚力と浮力で、
パタッ
重力に勝つ！
フワフワ
ブーン
よし！　重力に勝ってやる！
ウォンソ、お前に勝つんだ！
キラッ

もう
少し……。
ウワッ！
ダメ！
パタ パタ
グラッ

ハァ
ハァ
エイッ、
もう１回！
ハァ

ザザザッ
ピョン

ドシン
タタタッ
もう１回！
タタタッ
ウワッ！ もう
少しなのに。
バタッ
ギャッ

ワァ
さすが
本選対決ね。
午後の対決も
見るぞ。
お昼を食べて
実験室に行こうか？
そうね！
実験結果に
満足できない。
何が原因
だろう？
量を少し調節
してみる？
コロッ
ドガッ
ウッ、
惜しい。
あ、もう
こんな時間！
夕食食べて
また来よう。
次は絶対
成功するぞ！
必ず！

ザッ
キョロ
キョロ

ウジュが毎朝、ラニのリンゴを用意してあげてたね。今はウジュがいないから代わりに僕が！
アレ？ジェウォン。
ウジュが……？

まさか……。
ケガ？　そんな危険な実験装置だったの？
あの実験装置でドローンを下ろすって言ってるけどケガしなきゃいいけど。
実験装置は危険じゃないわ。ウジュが危険なだけで。

ウジュ、遅かったね。
足に感覚がない……。100回以上飛んだと思う。
手ブラなのを見ると失敗したんだね。いい加減あきらめたら？
飲みな。
何言うんだ！
ウウ。
ヨタ
ヨタ
体中が痛い。
あ、ウォンソ。ウジュが帰って来たよ。
もう少しで届くんだ。明日は絶対成功するハズ！
ゴクッ
ゴクッ
ゴクッ
ガチャッ

汗をかいたから顔を洗って来る。
ヒュッ
ベタ
ベタ
バタン
ネエ、ウジュ！ 優勝したいなら実験の練習しなきゃ。特別賞がそんなに大事？
大事さ。僕にはメッチャ大事！

とにかく明日ベスト16が決まれば、次の日すぐに組み合わせ抽選だぞ。忘れるな！

忘れてないさ……。
時間があまりない……。

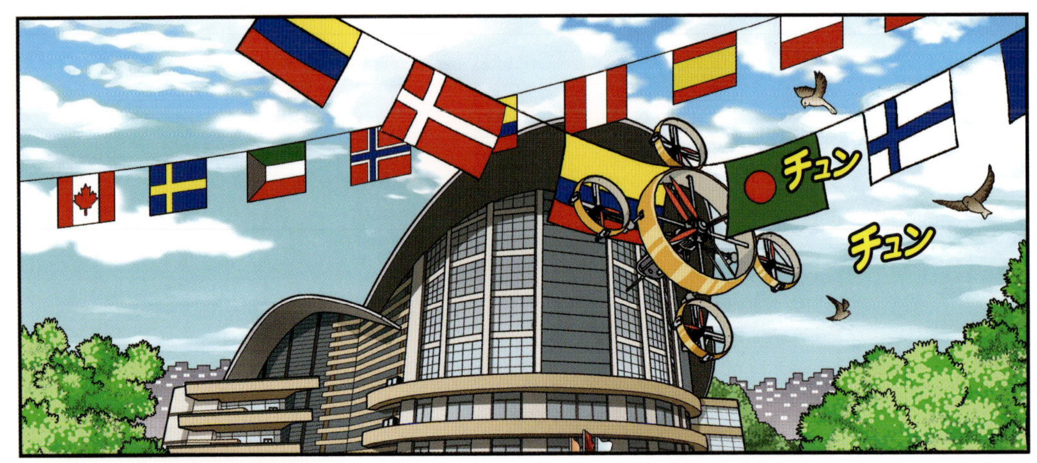
チュン
チュン

タッ
ビューーン

ウウッ！
ガターン
ジジジジ

もう少し速く走ればいけそうだけど……。
ハァ
ハァ
ハァ

もう少し……。
ヨロッ
ドザッ

タ
タ
タッ
ウジュ！
ラニ……。

どうしてココに？
ガバッ
お昼の時間よ。お腹空いてると思って。
サッ
サッ

もうお昼の時間？
時間が全然ない。
ウッ……

大丈夫？
もちろん！
成功目前だからもう
少し待って！　絶対
突き止めるから。

ウン！
私はあきらめない。
え？

私たちが実力不足でもベスト16に
上がれたのは奇跡のようなこと。その奇跡は
あきらめずに希望を持ち続けた私たちが
自分たちで作り出したものよ。
特別賞もそのハズ。
あきらめない希望！
そう、それでいいんだ！
ウルッ
アア！
ドローンの中に
あるのは……。
うん、ラニ、そうだね！

次の日
まさに
それだった！
ザワ
ザワ
ついにベスト16の
組み合わせ抽選だ。
スタ
スタ
スタ
しっかり気を
引き締めるのよ。
聞いてる？
あの子はどこ
行くんだ？
また
始まった。

プルルル……
プルルル……

もしもし。
カンリム！
僕だよ、ウジュ。

ウジュ！
今日、ベスト16の
組み合わせ
抽選の日だろ？

ウン。すぐに
行かなきゃ。

ドローンを下ろそうと何日も努力して気付いたんだ。
ドローンの中にあるのはまさに優勝に向かう
希望だってことに！
フッ

だからもう教えて！
特別賞は何？
どんなに飛んでもドローンを
下ろせなかったんだ。
早く教えて、早く！
バタ
バタ
バタ
何言ってんだ？
さっきラニから電話があって
ドローンを下ろしたんだけど
コントローラーがどこにあるかって
聞いてたぞ。
タ
タ
タタッ
タタッ
ラニが？
ラニ！
ウジュ、これ見て。
ドローンを
下ろせたの！
ドキ
ドキ

どうなってんの？
ドローンが落ちてきた？
重力のせいで？
へへ
私が下ろしたの。
ウジュが置いて行った
実験装置で！

コントローラー
持ってるんでしょ？
これで特別賞が
分かるわ！

何だって？
キョトン

今はベスト16の組み合わせ
抽選があるから後で確認しよう。
早く！
タタッ

僕が作った
実験装置で……。
はて？

サッ
僕が
目撃者だよ。

ラニがドローンを下ろした？
どうやって？
ムニャ

そしてウジュが実験装置を置いて行ったその場にラニが現れて挑戦を引き継いだ。
ウジュは実験装置を使って朝から夕方までドローンを下ろそうとした。
やってみよう！
ヨタ
ヨタ
バタッ
キュン

ラニがウジュより倍は高く飛んでたぞ。
ラニが毎晩ドローンを下ろそうとしたって？まさか……。
ドキ
ドキ

僕のため？
ドキ

あれ？
ウジュ！

ココで何してるんだ？
まだドローンのこと
考えてるのか？
クルッ

ジマン、
来たの？
フッ
ウォンソ、久しぶり！
サッ
朝会った
だろ。

ついにベスト16が
出そろったって
言いたいんだろ？
ザッ
ウォンソの実力と
僕のセンスなら優勝
できない理由がないさ！

お前の重力がどんなに
強くても……ラニが無重力
状態なら！
フフフ

実験対決㊸もお楽しみに。

重力と無重力

私たちが両足で地面を踏んで歩けるのは地球の重力のおかげです。もし地球が無重力状態になるなら、人はもちろん、あらゆる物体が空中にフワフワ漂うでしょう。重力と無重力、それに関連したさまざまな概念について調べてみましょう。

万有引力

万有引力は質量を持ったあらゆる物体が引っ張り合う力のことを言います。力の大きさは２つの物体の質量が大きいほど大きくなり、２つの物体の距離が遠くなるほど小さくなります。このような万有引力の法則は、1665年にイギリスの物理学者ニュートンによって発見されました。地球の重力も万有引力の１つの例だと考えることができます。

重力

重力の意味は大きく２つに分けて説明することができます。１つは質量を持った物体がもう一方の物体を引っ張る力で、万有引力と同じ意味で使われます。もう１つは万有引力と地球の自転によって物体が受ける遠心力を合わせた力を意味します。つまり、地球上の物体が地球から受ける力を言います。

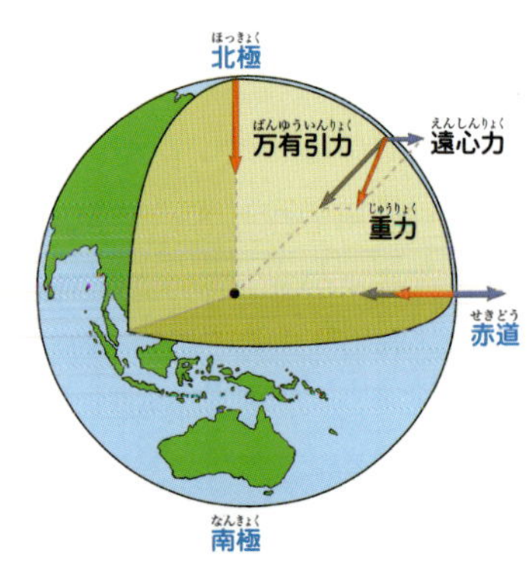

地球の重力　地球の重力の大きさは極地方が最も大きく、赤道地方が最も小さい。

質量と重さ

質量は物体を成す物質の固有の量を表すもので、場所と関係なく常に一定に保たれます。質量を表す単位にはgやkgなどがあります。重さは物体に作用する重力の大きさを表すもので、物体が受ける重力の大きさが異なると重さも変わります。重さを表す単位にはgw（グラム重）、kgw（キログラム重）などで、質量を表す単位に「重」を付けて使います。

月の重力＝地球の重力の1/6

無重力

無重力の「無」は「ない」という意味なので、無重力を重力がない状態だと思いがちです。しかし、無重力はまるで重力がないかのように感じる現象を意味するもので、物体の重さが0になる状態を言います。したがって、重さがないという意味で無重量状態と言ったりもします。無重力状態は求心力の役割をする地球の重力と遠心力がつり合っている人工衛星や宇宙船内部でよく発生します。

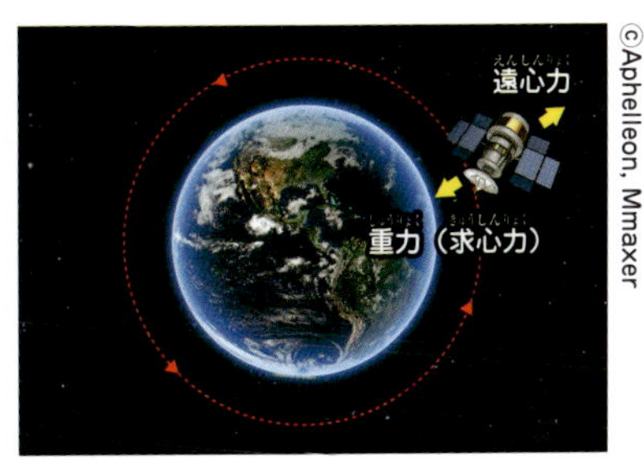

地球の周りを回る人工衛星

無重力状態の中の物理変化

無重力状態では物体が底に落ちずに空中に浮かびます。したがって普通には歩けません。そのため無重力状態で移動をしようとすれば何かをつかんで移動するか、行こうとする逆方向に力を与え、その反作用で移動しなければなりません。また、無重力状態では表面張力がハッキリ表れます。したがって、無重力状態で水をこぼすと水は空中で丸くボールのような形で固まります。その他にも無重力状態では、液体の中の物質が底に沈む沈澱現象も起きません。

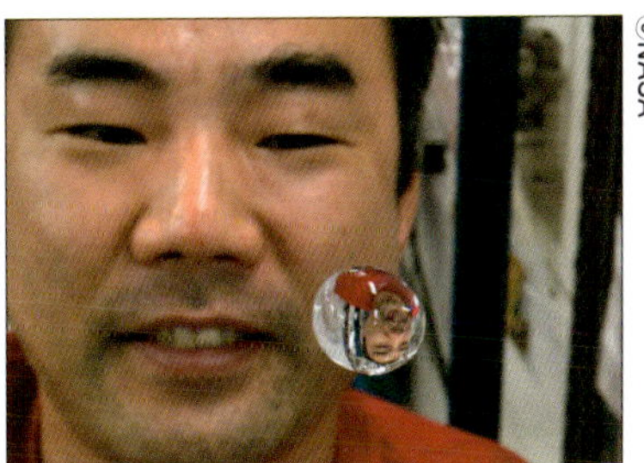

無重力状態での水滴

無重力状態での人体の変化

無重力状態では重力による刺激が消えるので体のバランスを維持する感覚器官が働きません。方向感覚がなくなってしまうのです。また、重力によって足の方に集まっていた体内の血液や水が頭の方に上がり顔が腫れてしまいます。そして、関節の間隔が広がり、数センチほど背が高くなります。

日本語版編集協力　東京大学サイエンスコミュニケーションサークルCAST

㊷ 重力と無重力の対決

2022年８月30日　第１刷発行

著　者　文　ストーリーa.／絵　洪鐘賢
発行者　片桐圭子
発行所　朝日新聞出版
〒104-8011
東京都中央区築地5-3-2
編集　生活・文化編集部
電話　03-5541-8833（編集）
03-5540-7793（販売）

印刷所　株式会社リーブルテック
ISBN978-4-02-332207-3
定価はカバーに表示してあります

落丁・乱丁の場合は弊社業務部（03-5540-7800）へ
ご連絡ください。送料弊社負担にてお取り替えいたします。

Translation：HANA Press Inc.
Japanese Edition Producer：Satoshi Ikeda
Special Thanks：Kim Da-Eun / Lee Ah-Ram
(Mirae N Co.,Ltd.)

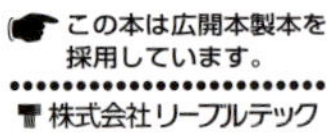

読者のみんなとの交流の場、「ファンクラブ通信」が誕生したよ! クイズに答えたり、似顔絵などの投稿コーナーに応募したりして、楽しんでね。「ファンクラブ通信」は、サバイバルシリーズ、対決シリーズの新刊に、はさんであるよ。書店で本を買ったときに、探してみてね!

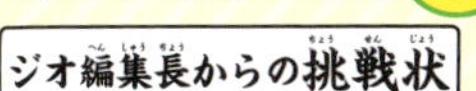

『◯◯のサバイバル』を作ろう!

みんなが読んでみたい、サバイバルのテーマとその内容を教えてね。もしかしたら、次回作に採用されるかも!?

冷蔵庫のサバイバル
何かが原因で、ジオたちが小さくなってしまい、知らぬ間に冷蔵庫の中に入れられてしまう。無事に出られるのか!?(9歳・女子)

おたよりコーナー 3

ピピが審査員長! 2コマであそぼ

お題となるマンガの1コマ目を見て、2コマ目を考えてみてね。みんなのギャグセンスが試されるゾ!

例

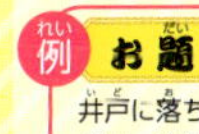

井戸に落ちたジオ。なんとかはい出た先は!?

地下だったはずが、なぜか空の上!?

おたよりコーナー 2

キミのイチオシは、どの本!?

サバイバル、応援メッセージ

キミが好きなサバイバル1冊と、その理由を教えてね。みんなからのアツ～い応援メッセージ、待ってるよ～!

例

鳥のサバイバル
ジオとピピの関係性が、コミカルですごく好きです!! サバイバルシリーズは、鳥や人体など、いろいろな知識がついてすごくうれしいです。(10歳・男子)

おたよりコーナー 4

みんなが描いた似顔絵を、ケイが選んで美術館で紹介するよ。

例

上手い!

みんなからのおたより、大募集!

❶コーナー名とその内容
❷郵便番号
❸住所
❹名前
❺学年と年齢
❻電話番号
❼掲載時のペンネーム(本名でも可)

を書いて、右記の宛先に送ってね。掲載された人には、サバイバル特製オリジナルグッズをプレゼント!

●郵送の場合
〒104-8011 朝日新聞出版 生活・文化編集部
サバイバルシリーズ ファンクラブ通信係

●メールの場合
junior @ asahi.com
件名に「サバイバルシリーズ ファンクラブ通信」と書いてね。

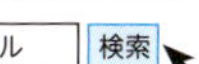

※応募作品はお返ししません。※お便りの内容は一部、編集部で改稿している場合がございます。